MIND unlimited
LERNHILFE

Katharina Denig-Helms

Klassenarbeiten erfolgreich bestehen

Das Programm für gute Noten im Schriftlichen

Klassen 5–10

Das Buch ist nach der neuen deutschen Rechtschreibung abgefasst.

4. Auflage (2003)

Lektorat: Klaus Kopinitsch, Wien
Umschlag, Illustrationen, Layout: Ulf Marckwort, Kassel
Satz und Lithographie: Typomedia, Neunkirchen
Druck: Druckerei Strube, Felsberg

Die MIND UNLIMITED-Lernhilfen sind nicht im Buchhandel erhältlich, sondern nur im Direktbezug bei MIND UNLIMITED.

MIND UNLIMITED
Forsthausstraße 56
D-35043 Marburg

www.mind-unlimited.com

Inhaltsverzeichnis

Liebe Eltern!

Sie haben dieses Buch angeschafft, weil Ihr Sohn oder Ihre Tochter Schwierigkeiten in und mit Klassenarbeiten hat. Ihr Kind findet hier Vorschläge, wie es seine Arbeitsweise und Arbeitsorganisation effektiveren kann, außerdem ein Trainingsprogramm zur Angst- und Stressbewältigung. Viele der Vorschläge werden Ihnen und Ihrem Sohn oder Ihrer Tochter neu und fremd sein. Haben Sie bitte Verständnis, wenn Ihr Kind dem Neuen, was ich ihm vorschlage, zunächst skeptisch gegenübersteht. Sprechen Sie mit ihm darüber, wie es die Vorschläge am besten umsetzen kann, und finden Sie gemeinsam Zeiten, in denen sich Ihr Kind nicht gestört oder beobachtet fühlt. Vielleicht haben Sie die Möglichkeit, selbst die eine oder andere Methode auszuprobieren. Dann können Sie mit Ihrem Sohn oder Ihrer Tochter die Erfahrungen austauschen. Bitte lassen Sie Ihrem Kind Zeit, sich allmählich mit den Methoden anzufreunden und die Dinge auszuwählen, die ihm am meisten liegen. Eine Methode, die unter Zwang angewendet wird, bringt überhaupt nichts, sie mag noch so gut sein.

Oft wird an mich die Frage herangetragen, wie sich Eltern verhalten sollen, wenn ihr Kind eine schlechte Note nach Hause bringt. Eine Standardantwort kann es auf diese Frage wohl kaum geben, denn jede Familie ist in ihren Strukturen und Beziehungen anders. Dennoch möchte ich an dieser Stelle einige Hinweise geben: Einem Kind, das eine schlechte Note nach Hause bringt, geht es in aller Regel schlecht, auch wenn es das nicht unbedingt zeigt. Mit Vorwürfen und Strafen geben Sie nur noch Salz auf die Wunde, das Selbstbewusstsein wird weiter verletzt. Damit wird die nächste schlechte Note vorprogrammiert, weil das Kind Versagensängste aufbaut.

Nicht weniger negativ wirkt es sich auf das Selbstwertgefühl eines Kindes oder Jugendlichen aus, wenn es sich für den Kummer der Eltern verantwortlich fühlt. Geben Sie Ihrem Sohn oder Ihrer Tochter auf keinen Fall das Gefühl, persönlich unter der schlechten Leistung zu leiden oder um die Zukunft des

Kindes zu bangen. Haben Sie Vertrauen in Ihr Kind. Es wird dann sicherlich aus eigener Kraft wieder Fuß in der Schule fassen. Im schlimmsten Fall kann sich das Kind durch die Sorgen der Eltern in den Mittelpunkt gestellt fühlen. Es kann dadurch veranlasst werden, diese „angenehme“ Situation, in der es die Aufmerksamkeit der Eltern auf sich zieht und sich alle Gedanken der Familie um die schlechten Leistungen des Sprösslings drehen, immer wieder unbewusst zu reproduzieren und zu kultivieren.
Sie sollten dagegen ein sachliches Gespräch mit Ihrem Kind suchen. Versuchen Sie gemeinsam herauszufinden, woran es in der Klassenarbeit gehakt hat, und entwickeln Sie zusammen Lösungsvorschläge, mit denen Ihr Kind sich identifizieren kann. Hören Sie Ihrem Kind dabei sehr genau zu und lassen Sie es ausreden. Versuchen Sie, es wirklich zu verstehen und nach Lösungen zu suchen, die Ihr Kind will. Derjenige, der sich in einer dummen Situation befindet, weiß in aller Regel am besten, was ihm fehlt und hilft. Es kann sein, dass Ihr Kind das nur nicht artikulieren kann, weil es sich z.B. gerade in der Pubertät befindet und das, was es bewegt, nicht für Ihre Ohren bestimmt ist. Auch das müssen wir Eltern lernen zu akzeptieren, ohne unsere Rolle als zuverlässige Freunde und Helfer aufzugeben.
Lösungsmöglichkeiten können je nach Situation des Kindes und der Familie sehr verschieden sein. Vielleicht können die äußeren Bedingungen des Lernens, wie Arbeitsplatz und Arbeitszeit, verändert werden. Es kann sein, dass Ihr Kind manchmal abgefragt werden möchte oder Sie ihm etwas diktieren sollen. Vielleicht sind die Lücken auch schon Monate alt und müssen mit Hilfe eines Nachhilfelehrers systematisch aufgearbeitet werden. Suchen Sie im Zweifelsfall zusammen mit Ihrem Kind das Gespräch mit dem Lehrer.

Und nun wünsche ich Ihnen und Ihrem Kind viel Spaß und Erfolg.

Katharina Denig-Helms

Klassenarbeitsmuffel

THERESA

Theresa ist eine fleißige Schülerin. Im Unterricht passt sie immer gut auf, ihre Hefte sind vollständig und ordentlich geführt, vor Klassenarbeiten büffelt sie

bis zum Umfallen. Aber spätestens am Abend vor der Klassenarbeit ist es dann wieder so weit: Theresa spürt diesen Druck in der Magengegend, hat schweißnasse Hände, friert und zittert vor Aufregung. Ihr Kopf ist wie von einem Dunstschleier umgeben, die Buchstaben tanzen vor ihren Augen, und die letzten Instruktionen rauschen an ihr vorbei. Theresa versagt bei der Klassenarbeit, obwohl sie am Tag zuvor noch alles wusste.

KAROL

Karol nimmt sich fest vor, bis zur nächsten Englischarbeit immer aufzupassen, er will alles mitbekommen. Aber schon nach einer Viertelstunde erwischt es ihn: „Guten Morgen, Karol, schon aufgewacht?“ Mit strenger Miene sieht die Lehrerin ihn über den Brillenrand an. Mist, schon wieder hat sich Karol ablen-

ken lassen. Er spürt, wie ihm die Röte ins Gesicht steigt, in seinen Ohren rauscht es, und sein Herz schlägt ihm bis zum Hals. Jetzt bekommt er natürlich erst recht nichts vom Unterricht mit, und das schadenfreudige Kichern der anderen macht alles noch schlimmer. Zu Hause versucht Karol, den Stoff vom Vormittag aufzuarbeiten, aber es geht ihm dabei nicht besser als in der Schule. Er liest eine Weile, ohne dass der Text in seinem Gehirn anzukommen scheint. Er sieht nach einer Weile aus dem Fenster, während die schlechten Erlebnisse vom Vormittag wie ein innerer Film vor seinem geistigen Auge ablaufen. Er zielt dann mit Papierkugeln nach einer Blumenvase, macht ein Geduldsspiel, aber zum Arbeiten kommt er nicht. Noch dazu plagt ihn das schlechte Gewissen. Kein Wunder, dass Karol die nächste Englischarbeit in den Sand setzt.

SASCHA

Sascha hat für die nächste Klassenarbeit viele gute Vorsätze. „Diesmal werde ich mich ganz gut vorbereiten! Heute ist Montag, bis Freitag habe ich noch vier Tage Zeit.“ „Als es ans Arbeiten geht, ist Sascha plötzlich ganz aufgeregt, er weiß gar nicht, wo er anfangen soll. „Erst einmal den Schreibtisch aufräumen“, denkt er. Zur Belohnung macht er den Rest des Tages frei. Am Dienstag ruft Bernd an: „Kommst du mit ins Kino?“ „Eigentlich wollte ich für Mathe üben, aber das kann ich auch heute Abend machen.“ Am Abend ist er zu müde. „Morgen ist ja auch noch ein Tag“, denkt Sascha, dabei hat er Claudias Geburtstag vergessen, da muss er hin, das hat er versprochen. Am Donnerstag setzt er sich dann endlich hin, schlägt Buch und Heft auf und will anfangen. Bald merkt er, dass es viel zu spät ist. Er hat einen großen Kloß im Bauch: „Das schaffe ich doch nicht bis morgen, ich gebe gleich auf.“ Natürlich ist Sascha bei der schlechten Vorbereitung ziemlich nervös und bekommt prompt seine Quittung: wieder eine Mathearbeit vergeigt.

YVONNE

Frustriert kommt Yvonne nach Hause. „Verdammt, am Dienstag Deutsch-Grammatikarbeit, und ich kapiere das nicht.“ Missmutig setzt sie sich an den Schreibtisch und holt ihr Heft und ihr Buch vor. „Präpositionales Objekt – was ist das denn? Keine Ahnung, die Klassenarbeit muss ja in die Hose gehen. Wahrscheinlich bin ich einfach zu blöd, um das zu begreifen. Von Grammatik habe ich einfach keinen Plan, das war noch nie mein Fall...“ Mit dieser Einstellung versucht Yvonne, sich durch die Satzglieder zu hangeln. Das muss ja schief gehen. Der Misserfolg bei der Deutscharbeit ist vorprogrammiert.

KERSTIN

Kerstin setzt sich vor jeder Klassenarbeit an ihren Arbeitsplatz, um sich alles noch einmal „anzusehen“. Was in ihren Heften und Büchern steht, ist ihr sehr vertraut. Sie hat das Gefühl, alles schon zu können. Was sie sonst noch üben sollte, weiß Kerstin nicht. In Mathe hat sie schon etliche Beispiele gerechnet und in Englisch unendlich viele Verbformen in Satzlücken gesetzt. In der Klassenarbeit scheint Kerstin auch alles gut von der Hand zu gehen. Allerdings erledigt sie die Aufgaben, wie beim Üben, rein mechanisch, ohne darüber nachzudenken. Zu Hause in der entspannten Atmosphäre hat es so eigentlich immer gut geklappt. In der Stresssituation der Klassenarbeit macht Kerstin dagegen alles falsch, was sie nur falsch machen kann. Das Ergebnis ist abzusehen: voll daneben.

Hast du dich in einem dieser fünf Klassenarbeitsmuffel wieder erkannt? Oder bist du eine Mischung aus zwei oder mehr Typen?

Versuche zunächst, deinem Problem in bezug auf Klassenarbeiten so genau wie möglich auf die Spur zu kommen. Hier hast du etwas Platz, auf dem du in Anlehnung an die fünf Beispiele dein persönliches „Klassenarbeitsprofil“ erstellen kannst. Versuche dazu, auf die folgenden Fragen jeweils vier bis sechs Antworten zu finden.

1. Wie verhalte ich mich vor und während der Klassenarbeit?

2. Was denke ich vor und während der Klassenarbeit?

3. Wie fühle ich mich vor und während der Klassenarbeit?

Ich vermute, dass sich deine Gedanken und deine Verhaltensweisen gegenseitig beeinflussen. Vielleicht denkst du, du bist zu doof, einen Klassenarbeitsstoff zu bewältigen. Entsprechend wirst du dich bei der Vorbereitung der Klassenarbeit verhalten und den Stoff unzureichend wiederholen. In diesem Fall bleibt die Angst während der Klassenarbeit nicht aus. Du bist in einen Teufelskreis geraten. Dieser Teufelskreis wurde irgendwann einmal durch ein mehr oder weniger bedeutendes Misserfolgserlebnis ausgelöst. Dieser Misserfolg hat dein Selbstbewusstsein beschädigt, so dass du dich aus Unsicherheit nicht richtig auf die kommende Klassenarbeit vorbereiten konntest. In der Klassenarbeit warst du dann natürlich ängstlich und aufgeregt, und prompt stellte sich der von dir erwartete Misserfolg ein. Und je länger du dich in diesem Teufelskreis befindest, desto tiefer hat sich in dir die Gewissheit festgesetzt, ein Versager zu sein, der bei Klassenarbeiten nichts zustande bringt.

Du bist aber diesem Teufelskreis nicht hilflos ausgeliefert, ganz gleich wie lange du dich bereits in ihm bewegst. Auch wenn deiner Meinung nach das Problem beim Lehrer liegt, der dir Angst macht, oder bei den Eltern, die du nicht enttäuschen möchtest: Es steht jederzeit in deiner Macht, den Teufelskreis anzuhalten und auszusteigen. Es ist auch beliebig, an welcher Stelle du aussteigst. Und so ist auch das Buch angelegt. Wenn du meinst, du möchtest am liebsten zuerst deine Ängste abbauen und dein Selbstbewusstsein stärken, so schlage gleich das Kapitel 4 „Mentale Vorbereitung" auf. Oder du denkst, es sei besser, an den Arbeitstechniken zu feilen, so beginnst du mit Kapitel 2 „Die Wiederholungsfalle vermeiden" und Kapitel 3 „Besondere Arbeitstechniken".

Vielleicht fühlst du dich häufig unruhig oder nervös und hast Konzentrationsprobleme, so schlage Kapitel 5 „Entspannung“ und Kapitel 6 „Konzentration“ nach. In Kapitel 7 findest du Tipps, wie du dich vor, während und nach der Klassenarbeit verhalten kannst. Und wenn deine Klassenarbeiten regelmäßig an deinem chaotischen Arbeitsstil scheitern, beginne gleich mit Kapitel 1 „Arbeitsplanung und Arbeitsorganisation“. Bist du der Meinung, in einem der hier angesprochenen Bereiche keine Defizite zu haben, spare dir das Kapitel bis zum Schluss auf. Lies es dann aber auf jeden Fall doch einmal durch, denn vielleicht kannst du die eine oder andere Technik oder Anregung übernehmen und damit deine Klassenarbeitsvorbereitung effektiveren.

Bevor du anfängst, besorge dir folgende Materialien:

- Kleber
- Tesa
- Schere
- Filzstifte
- Locher
- Kugelschreiber
- Bleistifte
- Zettelbox
- selbstklebende Notizzettel (post-it)
- Schmierpapier
- Büroklammern
- Schülerduden
- Jugendlexikon
- Kassettenrekorder mit Aufnahmemöglichkeit oder Diktiergerät
- Ablagekästen in verschiedenen Farben

Kapitel 1: Arbeitsplanung und Arbeitsorganisation

Du kannst dir eine Menge Zeit und Arbeitsaufwand sparen, wenn du deine Übungszeit vernünftig organisierst und planst. Ein vernünftiges Ordnungssystem, mit dessen Hilfe du alles wieder findest, was du brauchst, eine gründliche Planung deiner Arbeitszeiten sowie eine Heftführung, die dir einen genauen Überblick über den Unterricht gibt, helfen dir, deine Lern- und Übungszeit effektiv zu nutzen.

Ordnung

Hand auf's Herz: Gehörst du auch zu denen, die es mit der Ordnung nicht ganz so genau nehmen? Der Schreibtisch voll gepackt mit Papieren, Stiften, Schokoladenpapier, leeren Jogurtbechern, Comics und Cremetuben? Klar, dass du dich in dieser Atmosphäre nicht konzentrieren kannst. Ein guter Einstieg in ein neues Lernverhalten kann Aufräumen sein. Mache daraus eine feierliche Angelegenheit und betrachte das Aufräumen als ein Symbol. Indem du deine Außenwelt in Ordnung bringst, ordnest du auch das Wirrwarr in deinem Kopf. Eine Belohnung für hinterher suchst du dir auch schon aus: ein guter Film, ein Eis, ein neues T-Shirt...

Und jetzt geht's los:

- Sichte zunächst einmal, was sich auf deinem Schreibtisch befindet, und finde Oberbegriffe (z.B. „Schulmaterialien", „Spiele", „Jugendbücher", „Müll") dafür. Schreibe diese Oberbegriffe groß und deutlich auf DIN-A5-Zettel. Natürlich darf auch der Zettel „Verschiedenes" nicht fehlen. Dies ist übrigens schon eine Vorübung zum Thema „Stoffsammlung" im Kapitel 3 dieses Buches.
- Verteile die Zettel großzügig auf dem Fußboden und ordne alles, was auf dem Schreibtisch liegt, den Zetteln zu – bis der Schreibtisch leer ist.
- Beginne jetzt, die Haufen zu „entsorgen". Bücher ins Regal, Geschirr in die Küche, Spiele in die Kiste, Müll in den – na du weißt schon.
- Beschrifte die Ablagekästen, die du dir besorgt hast, mit den Fächern. Für die Hauptfächer benötigst du je einen Ablagekasten, bei den Nebenfächern reicht ein Ablagekasten für 2–3 Fächer (z.B. Geschichte, Erdkunde und Sozialkunde in einen Kasten; Chemie, Physik und Biologie zusammen; Religion, Musik und Kunst in einen dritten).
- Mache es dir zur Gewohnheit, jeden Tag vor den Hausaufgaben alle Zettel und Arbeitsblätter, die du bekommen hast, in dein Heft einzukleben, oder hefte sie in ein Ringbuch mit Register oder in verschiedenfarbige Schnellhefter. Das ist ein sinnvoller Einstieg in die Hausaufgaben, weil du dir einen Überblick über den Schultag und über die anliegenden Hausaufgaben verschaffst. Zum Schluss sieh nach, ob du alle Materialien, die du brauchst, griffbereit hast. Auf Seite 12 findest du die Materialliste.

Falls du noch Ablagefläche für deine Materialien benötigst, besprich mit deinen Eltern, ob noch ein Regal angeschafft werden kann.

Weitere Anregungen zur Gestaltung des Arbeitsplatzes findest du in dem Buch „Hausaufgaben erledigen" der MIND UNLIMITED-Reihe.

Zeitplanung

Überkommt dich öfter die Panik, weil du nicht weißt, wann und wie du mit der Klassenarbeitsvorbereitung anfangen sollst? Kein Wunder, wenn man den riesigen Stoffberg betrachtet, der sich meist bis zur Klassenarbeit anhäuft. Um diese Stofffülle bewältigen zu können, ist es nützlich, vier Ergebnisse aus der Gedächtnisforschung zu kennen:

SO NÜTZT DU DEIN GEHIRN RICHTIG

Kleine Lernhäppchen

Es ist wie beim Essen: Mehrere kleine, leichte Mahlzeiten, ausgewogen und nicht zu fett, kann dein Magen hervorragend verdauen. Du fühlst dich gut, kannst dich bewegen. Alles ist optimal. Aber wehe, es gibt dein Lieblingsessen, und du schlägst dir ordentlich den Bauch voll. Dein Magen nimmt dir das sehr übel, fühlt sich überlastet, und wenn du es gar zu bunt treibst, schickt er dir das Essen auch wieder zurück. Genauso geht es deinem Gehirn: Wenn du es überfütterst, bekommt es „Verdauungsprobleme“. Es blockiert, weil es all die Informationen nicht mehr verarbeiten kann. Du spürst vielleicht, wie sich deine Muskeln anspannen und du unruhig wirst. Hast vielleicht das Bedürfnis, aufzustehen und die Arbeit einfach liegen zu lassen.

Anders ist es, wenn du dir die Arbeit in kleine, überschaubare Lernhäppchen einteilst. Sie sind gut zu verdauen, und da du sie auch zu Ende bringen kannst, hast du schnell Erfolgserlebnisse. Das motiviert dich, das nächste Lernhäppchen in Angriff zu nehmen. Je nach Fach und Arbeitsauftrag können die Lernhäppchen verschieden lang sein. Langweilige Rechenpäckchen oder Einsetzübungen solltest du dir in Portionen zusammenfassen, zu denen du ungefähr 5 Minuten benötigst.

Dann lehnst du dich 1 Minute zurück, bevor du mit der nächsten 5-Minuten-Etappe beginnst. In diesem Rhythmus kannst du etwa 20–30 Minuten konzentriert arbeiten.

Wiederholungen

Übungsstoff, den du zwar gelernt, aber nicht wiederholt hast, droht in deinem Gedächtnis zu versinken wie Blätter, die in einen See gefallen sind: Wenn sich das Wasser nicht bewegt, tauchen sie allmählich ab und sind für immer verschwunden. Wird der See jedoch ab und zu durch einen Sturm umgerührt, kommen sie wieder an die „Oberfläche". Deinen Lernstoff hältst du an der „Oberfläche", indem du ihn nach dem eigentlichen Einüben noch mindestens zweimal vor der Klassenarbeit wiederholst. Erst dann kannst du dir sicher sein, wirklich alles behalten zu haben.
Ergebnisse aus der Gedächtnisforschung zeigen, dass Inhalte, die vor längeren Lernpausen wiederholt werden, am besten behalten werden. Das bedeutet, du solltest besonders wichtige Themen kurz vor einer längeren Pause oder vor Arbeitsschluss wiederholen, um sie gut behalten zu können.

Pausen

Pausen sind ein wichtiger Bestandteil des Lernens und sollten genauso sorgfältig mit eingeplant werden wie die Lernzeiten selbst. Ich habe schon darauf hingewiesen, dass bereits nach 5 Minuten intensiver Arbeit eine einminütige Verschnaufpause eingelegt werden kann. Das gilt übrigens auch für die Arbeitszeit während der Klassenarbeit. Untersuchungen haben ergeben, dass die Konzentrationsfähigkeit auf diese Weise steigt. Du machst merklich weniger Fehler, und die Gesamtarbeitszeit wird kürzer. Du kannst es selbst einmal ausprobieren: Stelle dir zwei Arbeitsblätter mit Routinerechenaufgaben aus deinem Mathebuch zusammen. Die Aufgaben sollten den gleichen Schwierigkeitsgrad haben und etwa eine halbe Stunde in Anspruch nehmen. Arbeite die Arbeitsblätter an zwei verschiedenen Tagen zur gleichen Uhrzeit durch. Beim ersten Arbeitsblatt versuchst du ohne Pause zu arbeiten, beim zweiten legst du alle 5 Minuten eine Pause von etwa einer Minute ein. Dann vergleichst du die Arbeitsblätter. Auf welchem hast du mehr geschafft, und wo sind dir weniger Fehler unterlaufen? Bei Aufsätzen kann es mitunter vorkommen, dass du über längere Zeit sehr konzentriert arbeiten kannst, weil du gerade einen roten Faden verfolgst. Wenn das jedoch nicht klappt und du schnell die Konzentration verlierst, kannst du auch hier das 5-Minuten-Modell anwenden: Schreibe einen Gedankengang auf, danach lehnst du dich zurück und lässt eine Minute lang die Gedanken abschweifen. Dann bringst du den nächsten Gedankengang zu Papier usw.

Nach 20–30 Minuten brauchen dein Körper und dein Gehirn eine Pause von etwa 5 Minuten. Trinke ein Glas Wasser ohne Kohlensäure oder iss ein Stück Obst. Das bringt dich wieder in Schwung. Öffne das Fenster, um frische Luft hereinzulassen. Länger als 90 Minuten (120 Minuten in Klassen 9 und 10) solltest du für Hausaufgaben und Übungszeit auf keinen Fall am Schreibtisch sitzen. Solltest du aus irgendeinem Grund doch einmal in die Situation kommen, länger lernen zu müssen, weil du z.B. einen „Lernsonntag" veranstalten möchtest, ist nach 90 Minuten die Zeit gekommen, eine 20-Minuten-Pause einzulegen. Verlasse dann deinen Schreibtisch auf jeden Fall. Sorge für viel Bewegung und frische Luft, trinke Wasser oder iss Obst. Du kannst die Zeit auch nutzen, eine Entspannungs- oder Konzentrationsübung durchzuführen. Du findest solche Übungen im Kapitel 5 „Entspannung". Länger als 20 Minuten sollte die Pause nicht dauern, sonst fällt es dir zu schwer, dich wieder auf das Lernen einzustellen. Nach 3 Stunden ist dann aber wirklich und endgültig Feierabend. Denn auch wenn du dich körperlich nicht betätigst, ist Lernen eine anstrengende Tätigkeit, die viel Ausgleich in der Freizeit erfordert.

Ähnlichkeitshemmungen

Versuche einmal, folgenden Text auswendig zu lernen:

Jörg hat Deutsch bei Herrn Specht und Englisch bei Frau Heinz. Kirsten geht in Bio zu Frau Hinz und in Mathe zu Frau Heinz. Jürgen hat Mathe bei Herrn Sperber und Englisch bei Frau Hinz. Jens hat Mathe bei Herrn Specht und Deutsch bei Frau Sperling. Kerstin ist in Mathe bei Frau Heinz und in Bio bei Frau Sperber. Christian hat Deutsch bei Frau Hans und Mathe bei Herrn Sperber.

Na, konntest du dir den Text merken? Wahrscheinlich nicht. Und die Erklärung hierfür ist augenfällig: Die Informationen im Text ähneln einander sehr stark. Dein Gedächtnis ist nicht in der Lage, sie so schnell auseinander zu sortieren, fühlt sich überfordert und blockiert. Das bedeutet für die Zeitplanung: Wenn du Inhalte, die sich stark ähneln, für die Klassenarbeit lernen musst, solltest du sie in sehr kleine Häppchen packen und mit Hilfe von Farben und Bildern optisch voneinander trennen. Wenn du dich parallel auf eine Französisch- und Englischarbeit vorbereiten musst, solltest du sehr große Pausen zwischen den einzelnen Lernphasen einschalten, in denen du etwas ganz anderes machst. Zum Beispiel Mathe oder Physik. So gibst du deinem Gehirn die Möglichkeit, die Inhalte zu verarbeiten, bevor du ähnliche Inhalte der anderen Fremdsprachen nachschiebst. Du solltest ähnliche Inhalte auch mit verschiedenen Arbeitstechniken erlernen. Nähere Informationen dazu bekommst du im Kapitel 2 „Die Wiederholungsfalle vermeiden“ und im Kapitel 3 „Besondere Arbeitstechniken“.

HAUSAUFGABENHEFT

Für eine sinnvolle Zeitplanung ist es wichtig, ein Hausaufgabenheft zu führen, in das alle wichtigen Informationen geschrieben werden.

- natürlich alle Hausaufgaben
- Klassenarbeitstermine
- Thema oder Themen der Klassenarbeit
- persönliche Verabredungen oder Einladungen
- Arzttermine u.a.

Wenn du dazu neigst, Hausaufgabenstellungen im Unterricht zu überhören, vergewissere dich am Ende eines Schultages bei einem Freund oder einer Freundin, ob etwas Wichtiges fehlt.

ZEITPLANER

Aus Fotokarton, Karteikarten, Tonpapier und einem kleinen Übersichtskalender kannst du dir einen Zeitplaner basteln, der über dem Schreibtisch hängt. Hier ein Beispiel, wie er aussehen könnte:

STUNDENPLAN

STD.	MO	DI	MI	DO	FR	SA
1	EK	BIO	FRANZ	SPORT	KUNST	EK
2	ENGLISCH	MATHE	DEUTSCH	SPORT	DEUTSCH	ENGLISCH
3	MATHE	DEUTSCH	SPORT	MATHE	MUSIK	BIO
4	MATHE	FRANZ	ENGLISCH	ENGLISCH	FRANZ	FRANZ
5	DEUTSCH				MATHE	
6						
		BALLETT			KONFER	

KALENDER

JANUAR	FEBRUAR	MÄRZ	APRIL	MAI	JUNI
1 SO	1 MI	1 MI	1 SA	1 MO	1 DO
2 MO	2 DO	2 DO ZAHNARZT	2 SO	2 DI	2 FR
3 DI	3 FR ENGLISCH-ARBEIT	3 FR	3 MO	3 MI	3 SA
4 MI	4 SA	4 SA	4 DI	4 DO	4 SO
5 DO	5 SO	5 SO	5 MI	5 FR	5 MO
6 FR	6 MO	6 MO	6 DO	6 SA	6 DI
7 SA	7 DI MATHE-ARBEIT	7 DI	7 FR	7 SO	7 MI
8 SO	8 MI	8 MI	8 SA PARTY BEI RALF	8 MO	8 DO
9 MO	9 DO	9 DO	9 SO	9 DI	9 FR
10 DI	10 FR	10 FR CORINNA GEBURTSTAG	10 MO	10 MI	10 SA
11 MI	11 SA	11 SA	11 DI	11 DO	11 SO
12 DO	12 SO	12 SO	12 MI	12 FR	12 MO
13 FR	13 MO	13 MO	13 DO	13 SA	13 DI

TAGESPLAN

.TIPP

Wenn du kaschierten Karton benutzt und darauf beschriftete Tonpapierblätter klebst, kannst du deinen Zeitplaner öfter umgestalten, z.B., wenn sich der Stundenplan ändert.

Du kannst aber auch den MIND UNLIMITED-Freizeitplaner mit Stiften zum Preis von DM 8,- incl. Versand bei uns bestellen: MIND UNLIMITED, Forsthausstraße 56, 35043 Marburg.

Aktuelle Termine und Aufgaben werden auf selbstklebende Notizzettel geschrieben und auf den Zeitplaner geklebt.

GESAMTPLANUNG

Die Vorbereitung der nächsten Klassenarbeit beginnt spätestens an dem Tag, an dem du den Termin erfährst. Je mehr Zeit du hast, desto kleiner werden die Lernhappen und desto häufiger kannst du wiederholen.

Stoffsammlung

Zunächst sichtest du das gesamte Material zum Thema – also Schulbuch, Hefte, Zettel, Fotokopien, Arbeitsblätter, Hausaufgaben – und entscheidest, welche Unterlagen du zur Vorbereitung benötigst.

Stoffeinteilung

Notiere alle Aktivitäten, die zur Vorbereitung der Klassenarbeit notwendig sind (z.B. Regeln oder Gesetze lernen, Vokabeln lernen, grammatische Formen üben, Rechenwege üben).

Lernplan entwickeln

Die anfallenden Arbeiten verteilst du nun gleichmäßig auf die verbleibenden Tage vor der Arbeit. Pro Tag sollte nicht mehr als eine Viertelstunde Übungszeit neben den Hausaufgaben anfallen. Am letzten Tag vor der Arbeit wird nichts Neues mehr gelernt, nur noch wiederholt, wenn es sein muss. Insgesamt solltest du für jeden Lernhappen zwei Wiederholungen vorsehen.

MONTAG	VOKABELN UNIT 3A	DIKTATVORBEREITUNG
DIENSTAG	VOKABELN UNIT 3B	ÜBERSETZUNG
MITTWOCH	VOKABELN UNIT 3C	GRAMMATIK
DONNERSTAG	VOKABELN UNIT 3A	DIKTAT
FREITAG	VOKABELN UNIT 3B	ÜBERSETZUNG
SAMSTAG	VOKABELN UNIT 3C	GRAMMATIK
SONNTAG	FREI	
MONTAG	ENGLISCHARBEIT	

Unterricht und Hausaufgaben nutzen

Eine Viertelstunde Vorbereitung täglich hört sich sehr wenig an. Die Klassenarbeit sollte jedoch in erster Linie im Unterricht und während der Hausaufgaben vorbereitet werden. Tipps und Hilfestellungen dazu findest du im Abschnitt „Heftführung" im nächsten Kapitel und im Kapitel „Die Wiederholungsfalle vermeiden" auf Seite 26.

TAGESPLANUNG

Bevor du mit den täglichen Hausaufgaben beginnst, machst du eine Tagesplanung. Auf selbstklebende Notizzettel schreibst du alle Hausaufgaben und den voraussichtlichen Zeitaufwand. Danach musst du noch den Übungsstoff für die Klassenarbeit einplanen. Nun sortiere die Zettel auf deinem Nachmittagsstundenplan ein. Beachte folgende Punkte:

Leichte Arbeit zum Aufwärmen

Beginne mit einer leichten Arbeit zum Aufwärmen. Die Überwindung ist dazu nicht so groß, und du hast schnell ein Erfolgserlebnis, das motiviert. Eine solche Arbeit ist z.B. das Einkleben oder Abheften aller Kopien, die du in der Schule bekommen hast, oder das Zeichnen einer Skizze.

Abwechslung

Führe schriftliche und mündliche Aufgaben immer im Wechsel aus, das lockert auf. Unser Gehirn liebt nämlich die Abwechslung.

Ähnliche Inhalte vermeiden

Achte darauf, dass du ähnliche Fächer oder Inhalte nie hintereinander lernst.

Unser Gehirn kann nach einer Weile ähnliche Inhalte nicht mehr auseinander halten. Also: Nach Englischvokabeln ist z.B. Mathe angesagt und danach vielleicht Geographie etc.

Zeit einschätzen

Damit deine Zeitplanung sinnvoll ist, musst du versuchen einzuschätzen, wie lange du ungefähr für eine Aufgabe brauchst. Schreibe die Zeit auf deinen Aufgabenzettel. Das haut am Anfang vielleicht nicht hin, du bekommst aber allmählich ein Gefühl dafür.

Pausen einplanen

Vergiss nicht, Pausen mit einzuplanen. Vor allem bei gleichförmigen Aufgaben, wie Rechenpäckchen oder Einsetzübungen, solltest du dich alle 5 Minuten zurücklegen und 1 Minute abschalten. Nach 15–20 Minuten hast du dir eine 5-Minuten-Pause verdient. Öffne das Fenster, bewege dich ein wenig, trinke ein Glas Wasser oder iss ein Stück Obst. Das regt die Gehirntätigkeit an.
So könnte dein Tagesplan aussehen:

Heftführung

Zunächst eine gute Nachricht: Der größte Teil deiner Klassenarbeitsvorbereitung sollte aus der aktiven Teilnahme am Unterricht bestehen.
Häufig wird jedoch die Aufmerksamkeit durch verschiedene Faktoren gestört. Vielleicht findest du den Stoff langweilig, oder die Methoden eines Lehrers erreichen dich nicht, weil sie nicht auf deinen Lernstil zugeschnitten sind.
Logisch: Wenn du das Wichtigste der Stunde regelmäßig mitnotierst, bist du auch immer aufmerksam. Außerdem kannst du das Heft dann auch zu Hause für deine Vorbereitungen nutzen. Voraussetzung ist natürlich eine übersichtliche und vollständige Heftführung. Dazu einige Tipps:

BEGINNE IMMER AN DERSELBEN STELLE

Beginne in jeder Stunde deine Mitschrift auf der linken Seite einer neuen Doppelseite. Du wirst einwenden, das sei eine enorme Platzverschwendung. Das ist aber gleichgültig, was zählt, ist die Übersichtlichkeit, die du dadurch gewinnst.

DATUM

In der ersten Zeile links steht immer das Datum zusammen mit dem Wochentag. Eine zeitliche Einordnung kann eine Erinnerungsstütze beim Üben sein.

THEMA

In der zweiten Zeile steht immer das Thema der Stunde. Falls dein Lehrer das Thema nicht regelmäßig nennt, solltest du ihn danach fragen. Ist er dazu nicht bereit, versuche am Ende der Stunde das Thema selbst zu formulieren, frage dann deinen Lehrer, ob es richtig ist. Das Thema der Stunde zu kennen, bedeutet zu wissen, worüber man redet. Das fördert die Aufmerksamkeit.

GEDÄCHTNISUHR

Danach kommt eine Verlaufsskizze der Unterrichtsstunde. Wenn du beim Üben Hinweise zum jeweiligen Stundenverlauf hast, fallen dir automatisch auch Einzelheiten wieder ein; oder du hast Anhaltspunkte, wo du etwas nicht richtig verstanden oder nicht richtig aufgepasst hast. So kannst du gezielt nachfragen. Für eine Verlaufsskizze zeichnest du unter das Thema der Stunde einen Kreis von ca. 10 cm Durchmesser. Den Kreis teilst du durch ein Kreuz in vier gleiche Teile. Ein Viertel wird eingeschwärzt, die restlichen drei Viertel symbolisieren deine Unterrichtsstunde von 45 Minuten. Mit Hilfe von Stichwörtern und Symbolen kannst du dir ein Gedächtnisgerüst bauen, das dir bei der Vorbereitung der Klassenarbeit gute Dienste leisten wird.

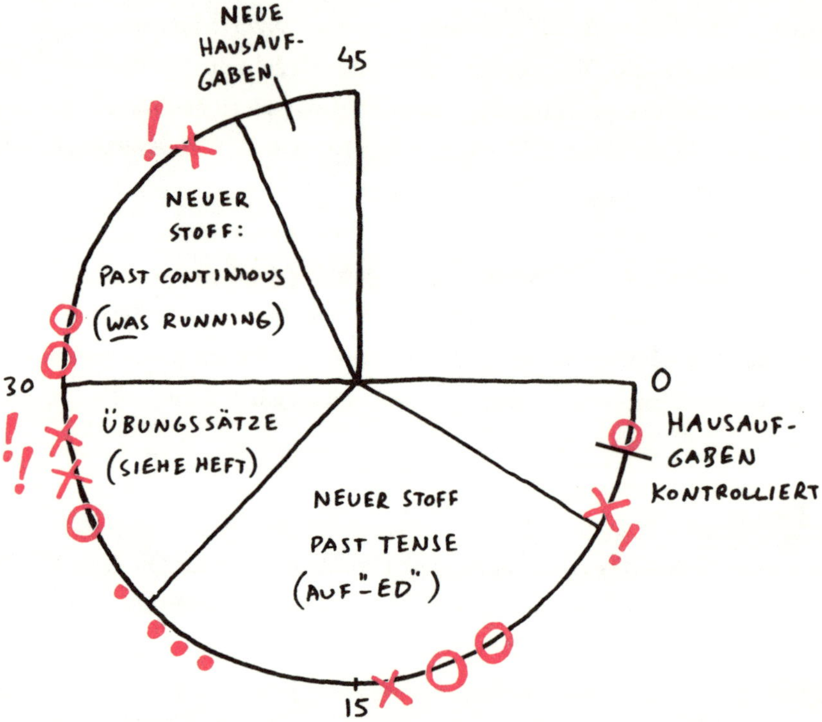

Deine Gedächtnisuhr kannst du jeweils am Vortag oder zum Beginn der Stunde zeichnen. Der Zeitaufwand hierfür sollte nicht mehr als 20 Sekunden betragen; für die Stichwörter solltest du nur jeweils 5 Sekunden benötigen. Zusätzlich zu den Stichwörtern werden noch Randsymbole in die Gedächtnisuhr eingetragen:

- ein roter Punkt, wenn du aufgepasst hast;
- ein roter Kreis, wenn du dich gemeldet hast;
- ein rotes Kreuz, wenn du drangekommen bist;
- ein Ausrufezeichen, wenn du einen richtigen Beitrag geleistet hast oder hättest.

Diese Zeichen sind aus zwei Gründen wichtig:

Erstens hast du immer einen Überblick über den Stand deiner mündlichen Beteiligung. Gerade wenn du Schwierigkeiten mit Klassenarbeiten hast, ist das sehr wichtig. Zweitens zeigen dir viele rote Symbole, wie sicher du schon im Stoff bist. Das hebt das Selbstvertrauen.

TAFELMITSCHRIFT UND LEHRERDIKTAT

Unter die Gedächtnisuhr kommt alles, was der Lehrer an die Tafel schreibt oder diktiert. Für die Tafelmitschrift gibt es eine Einschränkung. Manchmal schreiben Lehrer auch unwichtige Dinge an die Tafel. Versuche mit dem Lehrer eine Vereinbarung zu treffen; z.B. könntet ihr in der Klasse ausmachen, dass alles, was auf dem mittleren Teil der Tafel steht, für das Heft bestimmt ist. Alle Notizen, die ihr später nicht mehr benötigt, kommen auf den rechten bzw. linken Flügel der Tafel. Hier noch einige Tipps zur Gestaltung deiner Unterrichtsmitschrift:

- Überschriften werden prinzipiell unterstrichen, und zwar mit Lineal, wenn dir frei kein ordentlicher Strich gelingt. Schön ist es auch, verschiedene Farben für die Überschriften zu verwenden. Hierfür eignen sich feine Filzstifte.
- Wichtige Stichwörter im Text werden hervorgehoben, z.B. Durch Unterstreichen oder durch GROSSBUCHSTABEN oder durch Farben.
- Merksätze kommen immer in einen roten Kasten.
- Denke dir Randsymbole aus, die dir Orientierung geben. Ein Fragezeichen zeigt an, wo du etwas noch nicht verstanden hast und nachfragen musst. Ein Ausrufezeichen zeigt an, wenn etwas sehr wichtig ist, wie Merksätze oder Methoden. Eine Glühbirne zeigt, wo dir ein Licht aufgegangen ist, du eine neue Idee hattest, ein Kreis weist auf Beispielaufgaben hin, ein Häkchen zeigt, wann du den Stoff kapiert hast, und mit Smilies kannst du deine jeweilige Stimmung in der Stunde zum Ausdruck bringen.

HAUSAUFGABEN

Als letztes trägst du die Hausaufgabenstellung in dein Heft ein. Achte darauf, dass aus der Formulierung hervorgeht, was du genau tun sollst.
Es ist sinnvoll, die Hausaufgaben ins gleiche Heft zu schreiben, allerdings bestehen manche Lehrer auf ein Hausaufgabenheft. Wie auch immer, die Hausaufgaben müssen immer korrigiert werden! Wenn nötig, schreibe eine korrigierte Fassung dahinter.

Versuche auf keinen Fall, deine gesamte Heftführung in allen Fächern von heute auf morgen umzustellen. Unternimm lieber kleine Schritte. Versuche es erst einmal mit der Gedächtnisuhr in einem Fach, wenn das klappt, kannst du damit anfangen, die Tafelmitschriften mit Farben und Randsymbolen zu gestalten.
Erkenne jeden kleinen Schritt als Erfolg an, für den du dich auch belohnen darfst.

Kapitel 2: Die Wiederholungsfalle vermeiden

Du kennst die Situation. Du nimmst dir dein Heft oder dein Buch vor, liest dir alle Unterlagen über das Klassenarbeitsthema durch und hast das Gefühl, alles verstanden zu haben. In der Klassenarbeit klappt dann allerdings gar nichts. Das liegt daran, dass du dein Gehirn als „Einbahnstraße" benutzt: du nimmst immer wieder dieselben Aufzeichnungen und Beispiele und schaffst den Stoff mit der gleichen Methode an die immer gleiche Stelle im Gehirn. Den kleinen grauen Zellen an dieser Stelle ist der Sachverhalt mittlerweile auch schon bekannt, so dass du meinst, alles verstanden zu haben.

In der Klassenarbeit muss der Stoff dann aber den umgekehrten Weg nehmen. Außerdem wird das Thema verändert, du sollst es auf andere Zusammenhänge übertragen. Dazu hast du aber im Gehirn nichts abgespeichert, du bist in die **Wiederholungsfalle** getappt.

Abwechslung beim Lernen, phantasievoller Umgang mit dem Stoff und verschiedene Übungsmethoden verhindern, dass du bei Klassenarbeiten immer wieder auf dem Schlauch stehst.

Die folgenden Vorschläge sinnvoller Übungsmethoden werden am Beispiel der einzelnen Hauptfächer verdeutlicht, du kannst sie aber jeweils auf die anderen Hauptfächer oder auch Nebenfächer übertragen.

Vorbereitung einer Englischarbeit

Alles, was an dieser Stelle über Englischübungen ausgesagt wird, gilt selbstverständlich auch für alle anderen Fremdsprachen.

EINSETZÜBUNGEN

Einsetzübungen wie diese sind dir bekannt:

What Wendy says:	What the reporter writes:
1. I **get up** early	She **gets up** early.
2. I **start** at half past seven every morning.	She .... at half past seven early in the morning.
3. I **collect** the children from the villages.	She .... the children from the villages.

(aus: Learning English – Green Line 1, Klett-Verlag, 1. Auflage, S. 55)

Diese Art der Aufgaben ist eigentlich recht einfach, aber genau da liegt auch ihr Haken. Sie verleiten dazu, mechanisch zu üben, ohne genau zu wissen, was man tut. Da nützt es auch nichts, noch fünf Aufgaben mehr zu üben. Weniger ist oftmals mehr.

Hier einige Anregungen, grammatische Einsetzübungen sinnvoll zu üben.

Aufgabenstellungen formulieren

Bevor du mit einer Übung beginnst, musst du dir klarmachen, was du genau zu tun hast. Formuliere deswegen schriftlich, wie die Aufgabenstellung lautet. In unserem Beispiel müsste es heißen: „Ich setze die Verben in die 3. Person Singular, dazu hänge ich ein **-s** an den Infinitiv, ersetze **-y** nach Konsonanten durch **-ies** (fly – flies; try – tries) und füge bei **to go** und **to do** ein **-es** an.“

Voraussetzung ist die genaue Kenntnis der Wortarten und deren Beugungsformen sowie die gebräuchlichen lateinischen und deutschen Bezeichnungen. Wenn du hiermit Probleme hast, solltest du schnellstmöglich diese Lücke schließen. Sie wird dich in allen sprachlichen Fächern immer wieder behindern.

Übungssätze übersetzen

Wenn du deine Aufgabe formuliert hast, übersetze die Übungssätze, bevor du eine Lösung suchst. Übersetze wortwörtlich, obwohl das im Deutschen recht merkwürdig klingt. Unsere Beispielsätze würden demnach lauten:

Ich stehe auf früh.
Ich starte um halb nach sieben jeden Morgen.
Ich sammle die Kinder von den Dörfern.

Sie steht auf früh.
Sie startet um halb nach sieben jeden Morgen.
Sie sammelt die Kinder von den Dörfern.

Die wörtliche Übersetzung hilft dir, die Struktur der Zielsprache besser zu verstehen. Außerdem stellst du so sicher, dass du die Grammatikübung nicht mechanisch, sondern bewusst erledigst.

Beispiele im Buch suchen

Die Grammatikübungen im Buch beziehen sich immer auf den Text, der zuvor behandelt wurde. In vielen Fällen sind die Beispiele sogar wörtlich dem Text entnommen. Suche nach diesen grammatischen Konstruktionen im Text und unterstreiche sie mit Bleistift. Wenn sie sich von deinen Lösungen unterscheiden, übersetze wortwörtlich. So kannst du feststellen, ob du einen Fehler gemacht hast oder im Text eine andere Aussage steht.

Gesprächssituationen vorstellen

Stelle dir jetzt Gesprächssituationen vor, in denen du diese grammatischen Übungen umsetzen kannst. Denke dir einen Gesprächspartner aus und überlege, was du ihm sagen würdest; schreibe einige Beispiele auf, die du dir von deinem Lehrer korrigieren lässt. Du kannst dir auch einen englischen Briefpartner ausdenken, dem du einen Brief schreibst. Wie wäre es mit einem echten Brieffreund? Sicher kann dir dein Englischlehrer helfen, an entsprechende Adressen zu kommen.

ARBEITEN MIT LEHRBUCHTEXTEN

Unvermeidliches Thema in Englischarbeiten: Fragen zum Text beantworten. Dabei handelt es sich entweder um einen Lehrbuchtext oder um einen Text, der diesem sehr ähnlich ist. Wenn du also im Formulieren englischer Sätze noch unsicher bist, ist es eine große Hilfe, wenn du dich im Lehrbuchtext sehr gut auskennst. Du kannst dann Formulierungen ganz oder teilweise übernehmen. Mit der Erarbeitung des Lehrbuchtextes solltest du immer an dem Tag beginnen, an dem er in der Schule zum ersten Mal besprochen wird. Der Arbeitsaufwand wird sonst zu groß. Außerdem hilft es dir auch bei der mündlichen Beteiligung, denn wenn du dich gut auskennst, weißt du auch immer etwas, was du sagen kannst. Hier einige Möglichkeiten, mit einem Lehrbuchtext zu arbeiten:

Wörtliche Übersetzung

Der erste Schritt zur Erarbeitung des Lehrbuchtextes ist die wörtliche Übersetzung, in der du die englische Satzstellung und spezielle sprachliche Ausdrucksformen beibehältst. Diese Übersetzung solltest du unbedingt schriftlich machen. Du vermeidest es so, dich selbst zu beschummeln, erkennst die Stellen, an denen du nicht mehr weiterweißt und kannst die Übersetzung korrigieren lassen.

Ein Beispiel:

Timmy cannot go with the children to Whitby after all. When he wakes up in the morning, he has got a cold. He is very unhappy. "Never mind", says Ronny. "You can have my radio."

Timmy kann nicht gehen mit die Kinder zu Whitby nach allem. Wenn er wacht auf in der Morgen, er hat bekommen eine Erkältung. Er ist sehr unglücklich. „Macht nichts", sagt Ronny. „Du kannst haben mein Radio."

(aus: Learning English – Green Line 1, Klett-Verlag, 1. Auflage, S. 71)

Im nächsten Schritt formulierst du den Text in ein vernünftiges Deutsch. Diese Arbeit kannst du mündlich erledigen.

Vokabeln üben

Schlage sofort alle Wörter nach, die du noch nicht oder nicht mehr kennst, und schreibe sie groß und deutlich auf jeweils eine DIN-A7-Karteikarte. Auf die Rückseite zeichnest du ein Bild.

Du kannst das Wort auch auf Englisch umschreiben. Allerdings solltest du dir diese Karteikarten von deiner Lehrerin korrigieren lassen.

Du kannst auch Gegenstände im Haus mit einem Schild bekleben, auf dem die englische Bezeichnung steht.

Texte spielen

Wenn du den Text übersetzt und alle Wörter nachgeschlagen hast, kannst du die Sätze pantomimisch nachspielen, während du sie laut liest. Die notwendigen Requisiten kannst du dir im ganzen Haus zusammensuchen, wenn sie dir helfen. Stehe zu dieser Übung vom Schreibtisch auf und bewege dich im Raum. Nutze alle Möbel. Bei dieser Übung prägen sich die Vokabeln und die Satzkonstruktionen besser ein.

Den Text singen

Zur Abwechslung kannst du den Text zu einer bekannten oder erfundenen Melodie singen. Das hat den gleichen Effekt. Es kann ruhig falsch klingen, und wenn du über dich selbst lachen musst, umso besser. Wer beim Lernen albern ist, hat gute Laune und kann sich die Dinge besser merken.

Weitere Tipps zum Üben von Vokabeln und Satzkonstruktionen findest du in unserem Buch „Vokabeln lernen – 100% behalten".

DIKTATE SCHREIBEN

Häufig bilden Diktate einen wichtigen Teil der Englischarbeit.

Karteikarten schreiben

Die Rechtschreibung der neuen Wörter übst du am besten, indem du sie regelmäßig auf Karteikarten übernimmst. Schwierige Stellen in den Wörtern werden farbig markiert. Gehe beim Abschreiben so vor, dass du dir zunächst das Wortbild genau einprägst und das Wort dann aus dem Kopf schreibst. Zum Schluss wird mit dem Buch verglichen. Wenn du einen Fehler entdeckst, zerreiße die Karte und schreibe sie neu.

Wortdiktate

Mische die Karteikarten und sprich die Vokabeln auf ein Diktiergerät oder einen Kassettenrekorder. Achte auf Pausen zwischen den einzelnen Wörtern. Jetzt kannst du den Kassettenrekorder ablaufen lassen und die Wörter mitschreiben. Lass dir deine Wortdiktate von Geschwistern, Eltern oder Freunden korrigieren, weil du „eingefleischte“ Fehler vielleicht übersiehst.

TEXTE ÜBEN

So wie du die Schreibweise einzelner Wörter geübt hast, kannst du auch die Lehrbuchtexte üben. Beschränke dich aber auf 3–5 Sätze täglich, sonst wird es zu viel. Kurze Sätze oder Satzteile genau ansehen, dann aus dem Kopf aufschreiben und sofort vergleichen. Lass dir auch diese Übung von jemandem korrigieren. Falsch geschriebene Wörter werden mit Karteikarten geübt.

Zum Schluss sprichst du dir die geübten Sätze langsam auf Kassette und schreibst sie als Diktat. Das lässt du dir am besten von deinem Lehrer korrigieren.

Mathematikarbeiten vorbereiten

REGELN LERNEN

Für Mathematik ist es sinnvoll, sich einen Karteikasten im Format DIN A6 anzuschaffen. Benutze dazu karierte Karteikarten. Auf die Karteikarten schreibst du

- die Regel (Vorderseite),
- ein Beispiel (Rückseite),
- eine Erläuterung des Beispiels (Rückseite).

MAN ERHÄLT VERSCHIEDENE SCHREIBWEISEN EINES BRUCHES, INDEM MAN

- ZÄHLER UND NENNER DURCH DIE GLEICHE ZAHL DIVIDIERT, D.H. DEN BRUCH KÜRZT,
- ZÄHLER UND NENNER MIT DER GLEICHEN ZAHL MULTIPLIZIERT, D.H. DEN BRUCH ERWEITERT.

DER WERT DES BRUCHES BLEIBT JEWEILS GLEICH.

(aus: Zahlen und Größen, Bd. 6, Cornelsen-Verlag, 1. Auflage, S. 53)

KÜRZEN

$$\frac{36}{72} = \frac{36 : 12}{72 : 12} = \frac{3}{6}$$

ZÄHLER UND NENNER WERDEN DURCH 12 GETEILT.

ERWEITERN

$$\frac{3}{4} = \frac{3 \cdot 5}{4 \cdot 5} = \frac{15}{20}$$

ZÄHLER UND NENNER WERDEN MIT 5 MALGENOMMEN.

Sammle alle Regeln im Karteikasten, und wiederhole sie regelmäßig. Die aktuellen Regeln wöchentlich; die Regeln des Schuljahres monatlich; die alten Regeln einmal im Halbjahr.
In Mathematik baut eines auf das andere auf. Lücken aus dem 5. Schuljahr können dich bis zum Abitur verfolgen. Die Zeit ist also gut investiert.

REGELN ANWENDEN

Überlege dir, wo im Leben die Regel eine Rolle spielen könnte. Erweitern und Kürzen von Brüchen ist beispielsweise immer dann notwendig, wenn du Brüche miteinander vergleichen möchtest. Die Textaufgaben in deinem Mathebuch helfen dir, Beispiele zu finden. Denke dir jetzt ein Rechenbeispiel zu deinem Anwendungsbereich aus, und schreibe hinter jedem Rechenschritt eine Erklärung.

Ein Beispiel:
Auf einer Geburtstagsfeier gibt es zwei gleich große Sahnetorten. Allerdings wurde die erste Torte, eine Himbeersahne, in 10 gleich große Stücke geteilt, die zweite, eine Käsesahne, dagegen in 14 gleich große Stücke. Inge macht sich über die Himbeersahnetorte her und schafft 4 Stücke. Frieder vergeht sich an der Käsesahnetorte und verdrückt 6 Stücke. Wer von beiden bekommt stärkere Bauchschmerzen, weil er mehr gegessen hat?

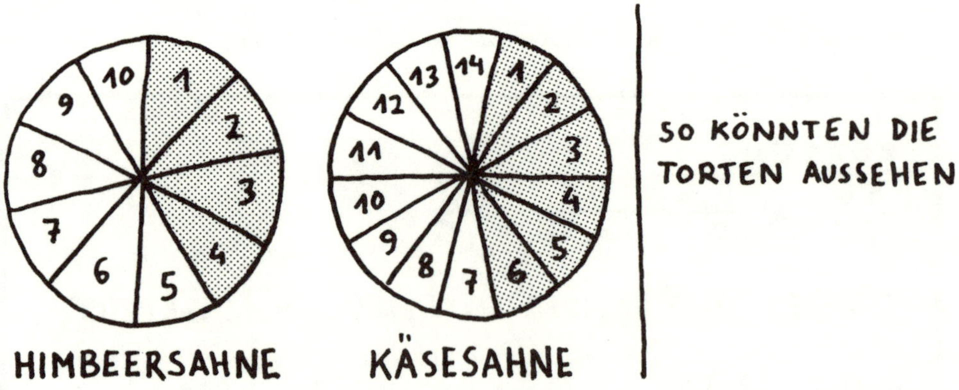

INGE ISST
4 STÜCKE
$= \frac{4}{10}$ HIMBEERSAHNE

FRIEDER ISST
6 STÜCKE
$= \frac{6}{14}$ KÄSESAHNE

FRAGE: WELCHER DER BEIDEN BRÜCHE IST GRÖSSER?

$$\frac{4 \cdot 14}{10 \cdot 14} = \frac{56}{140} \text{ FÜR INGE}$$

$$\frac{6 \cdot 10}{14 \cdot 10} = \frac{60}{140} \text{ FÜR FRIEDER}$$

$\frac{60}{140}$ SIND GRÖSSER ALS $\frac{56}{140}$

LÖSUNGSSATZ: FRIEDER BEKOMMT STÄRKERE BAUCHSCHMERZEN, WEIL ER MEHR GEGESSEN HAT ALS INGE.

UM ZWEI BRÜCHE VERGLEICHEN ZU KÖNNEN, MUSS ICH DEN GEMEINSAMEN NENNER FINDEN.
DAS GEHT AM EINFACHSTEN, INDEM ICH DIE BRÜCHE MIT DEM NENNER DES JEWEILS ANDEREN ERWEITERE.

REGELN ERKLÄREN

Erkläre jemandem, wie die Regel geht. Wenn gerade keiner im Haus ist, rufe einen Freund oder eine Freundin an, und erkläre den Rechenweg am Telefon. Zur Not kannst du auch deinen Kanarienvogel oder dein Kuscheltier als Gesprächspartner nutzen. Wichtig ist nur, dass du laut sprichst und nichts auslässt. Wir neigen aus Bequemlichkeit dazu, über Unklarheiten gedanklich hinwegzugehen. Das vermeidest du, indem du die Gedanken laut aussprichst.

ÜBERSICHTLICHE SCHREIBWEISE

Je weiter du in Mathematik fortschreitest, desto komplizierter werden die Rechenwege. Eine übersichtliche Schreibweise garantiert, dass du während der Klassenarbeit nicht durcheinander kommst. Probiere gleich beim Üben aus, wie du deine Rechenwege übersichtlich gestalten kannst. Auf Folgendes musst du dabei achten:

- Schreibe alles auf, was gegeben ist.
- Entwirf gegebenenfalls eine Zeichnung.
- Formuliere, was gesucht wird.
- Achte darauf, dass die Zahlen sauber untereinander stehen: Einer unter Einer, Zehner unter Zehner ...
- Wenn Maßeinheiten in der Aufgabe gegeben sind, musst du daran denken, sie bis zum Ende der Rechnung mitzuführen.
- Bei komplizierten Aufgaben schreibe an den Rand, warum die einzelnen Rechenschritte nötig sind.
- Nebenrechnungen werden direkt neben die Hauptrechnung geschrieben und durch einen Strich von der Hauptrechnung abgetrennt.
- Unterstreiche alle Zwischenergebnisse.
- Unterstreiche das Endergebnis farbig.
- Bei Textaufgaben den Lösungssatz nicht vergessen.

Ein Beispiel:

Theresa und Karol wollen sich gemeinsam auf ihre Englischarbeit vorbereiten. Vorher gehen sie aber zu McDonald's und bestellen 4 Hamburger und 2 Cola. Sie bezahlen zusammen 13,20 DM.

Am Nebentisch sitzen Sascha und Yvonne, noch ganz frustriert vom Ergebnis ihrer letzen Deutscharbeit. Sie verzehren zusammen 3 Hamburger und 3 Cola. Dafür haben sie zusammen 12,30 DM bezahlt. Wie viel kostet ein Hamburger und wie viel eine Cola?

ES HANDELT SICH BEI DER AUFGABE UM DAS LÖSEN EINES GLEICHUNGSSYSTEMS MIT 2 GLEICHUNGEN UND 2 UNBEKANNTEN.

RECHNUNG	ERLÄUTERUNG
$4x + 2y = 13{,}20$ DM	x = HAMBURGER
$3x + 3y = 12{,}30$ DM	y = COLA
RECHNUNG 1: $4x + 2y = 13{,}20 \text{ DM} \quad \vert -2y$ $4x = 13{,}20 - 2y \quad \vert :4$	ZUR LÖSUNG WÄHLE ICH DAS EINSETZ-VERFAHREN
$x = \frac{13{,}20 - 2y}{4}$ $x = 3{,}30 \text{ DM} - 0{,}5y$	DAZU MUSS ICH ERST EINMAL DIE GLEICHUNG NACH X AUFLÖSEN
RECHNUNG 2: $3(3{,}30 \text{ DM} - 0{,}5y) + 3y = 12{,}30$ DM	DAS ERGEBNIS SETZE ICH IN DIE ZWEITE GLEICHUNG EIN
$9{,}90 \text{ DM} - 1{,}5y + 3y = 12{,}30 \text{ DM} \quad \vert -9{,}90 \text{ DM}$ $-1{,}5y + 3y = 2{,}40$ DM $1{,}5y = 2{,}40 \text{ DM} \quad \vert :1{,}5$ $y = \underline{\underline{1{,}60 \text{ DM}}}$	NR: $2{,}4 : 1{,}5 = 1{,}6$ 15 90 90 00
	EINE COLA KOSTET 1,60 DM.
$4x + 2(1{,}60 \text{ DM}) = 13{,}20$ DM $4x + 3{,}20 \text{ DM} = 13{,}20 \text{ DM} \quad \vert -3{,}20$ $4x = 10{,}00 \text{ DM} \quad \vert :4$ $x = \underline{\underline{2{,}50 \text{ DM}}}$	DAS ERGEBNIS SETZE ICH IN DIE ERSTE GLEICHUNG EIN. EIN HAMBURGER KOSTET 2,50 DM.

LÖSUNG: EINE COLA KOSTET 1,60 DM, EIN HAMBURGER KOSTET 2,50 DM.

Deutscharbeiten vorbereiten

TEXTE LESEN UND VERSTEHEN

Literarische Texte oder Gedichte, Sachtexte oder Zeitungsartikel sind Grundlage für Nacherzählungen, Inhaltsangaben oder Interpretationen. Voraussetzung für einen guten Aufsatz ist, dass du dich in der Textgrundlage gut auskennst und wirklich alles verstehst. Das gründliche Lesen von Texten ist am Anfang etwas aufwendig, wenn du es nicht gewohnt bist. Doch mit der Zeit und etwas Übung wirst du auf das Wesentliche im Text aufmerksam werden.

- Lies den Text durch, und schlage sofort alle Wörter nach, die dir unbekannt sind.
- Fasse dann schriftlich in einem Satz zusammen, worum es im Text geht.
- Lies den Text ein zweites Mal, und gliedere ihn in Abschnitte, zu denen du schriftlich Überschriften formulierst.
- Im dritten und letzten Durchgang suche nach Eigenheiten in der Wortwahl und im Satzbau. (Verwendet der Autor kurze Hauptsätze oder lange komplizierte Satzgefüge? Lässt er manche Sätze unvollständig, oder benutzt er viele Fremdwörter? Tauchen bestimmte Wortfelder im Text auf, also Wörter, die irgendwie zusammengehören und im Text eine bestimmte Stimmung hervorrufen?)
- Schreibe alles auf, was dir am Text auffällt, auch wenn du dir noch keinen Reim darauf machen kannst.

Wenn du einen Text auf diese Weise gelesen hast, benötigst du einen Zuhörer oder ein Kassettengerät. Erzähle den Text mit Hilfe der fünf W-Fragen nach: Was ist passiert? Wann und wo ist es passiert? Wer war daran beteiligt und wie waren genau die Umstände?
Mit der Zeit wirst du beim Lesen wesentlich aufmerksamer. Wenn du viele Texte gut kennst, erkennst du auch schnell Besonderheiten. Dir wird dann bewusst, dass merkwürdige Inhalte nicht zwangsläufig mit deinem Unverständnis zusammenhängen, sondern vom Autor beabsichtigt sein können. Das ist vor allem bei literarischen Texten und Geschichten wichtig.

AUFSÄTZE VORBEREITEN

Merkmale von Aufsatztypen üben

Eine Inhaltsangabe sieht anders aus als eine Fantasiegeschichte, und diese wiederum folgt anderen Regeln als ein Lebenslauf für eine Bewerbung. In einem systematischen Deutschunterricht wird der Lehrer alle Merkmale der jeweils behandelten Textsorte schriftlich zusammenfassen. Ist das nicht der Fall, kannst du ihn im Unterricht darum bitten oder es selbst tun. Dabei helfen dir deine Unterrichtsmitschriften und dein Lehrbuch. Achte auf eine übersichtliche Liste, die du dem Lehrer vorlegst und auf Vollständigkeit überprüfen lässt.

- Schreibe die Merkmale auf DIN-A6-Karteikarten und sammle sie in einem Karteikasten. Du kannst einen Regelkarteikasten für alle Hauptfächer anlegen und über die gesamte Schulzeit hinweg sammeln. Wenn das Aufsatzthema später noch einmal behandelt wird, hast du noch alle Regeln und Merkmale parat.
- Untersuche die Textmerkmale an einem Beispiel. Vielleicht findest du eines im Lehrbuch, oder du hast eines im Unterricht bekommen. Wenn nicht, bitte deinen Lehrer um ein Exemplar, oder wende dich an die Bibliothekarin der Schülerbücherei.
- Du solltest sehr viel deiner Übungszeit darauf verwenden, den Übungstext auf seine Gestaltungsmerkmale zu untersuchen. Arbeite mit Unterstreichungen in der Textvorlage und mache Randbemerkungen.
- Halte deine Ergebnisse schriftlich fest.

Übungsaufsätze schreiben

Beim Schreiben von Aufsätzen wirst du dich auf die Hausaufgaben beschränken, sonst wird das Üben für die Klassenarbeit zu zeitaufwendig. Auch hier macht es nicht die Quantität, sondern die Qualität der Übungen. Super ist es, wenn du dir für das Verfassen eines Übungsaufsatzes 2–3 Tage Zeit lassen kannst, weil ein Aufsatz insgesamt zwischen ein und zwei Schulstunden in Anspruch nimmt. Wenn das nicht möglich ist, versuche durch eine geschickte Zeitplanung, einen Nachmittag nur für den Übungsaufsatz freizuhalten. Arbeiten, die du unbedingt noch erledigen musst, solltst du fertig machen, bevor du mit dem Aufsatz beginnst. Das Gefühl, nach einer so zeitaufwendigen Arbeit freizuhaben, ist sehr angenehm. Außerdem solltest du dir schon eine Belohnung für hinterher aussuchen: ein schöner Film, eine Verabredung, ein Einkaufsbummel mit der Mutter...

Stoffsammlung

Eine umfangreiche Stoffsammlung ist unabdingbare Vorbereitung für den Aufsatz – und nicht nur beim Üben, sondern auch während der Klassenarbeit. Du wirst vielleicht das Gefühl haben, eine Stoffsammlung ist viel zu zeitaufwendig. Aber mit einer guten Vorbereitung wirst du am Ende enorm viel Zeit sparen.

- Schreibe zunächst in ungeordneter Reihenfolge alles auf, was dir zum Thema einfällt, was du gelesen hast, aber auch welche Fragen noch offen bleiben.
- Manchmal ergibt sich aus dem Aufsatzthema selbst schon ein System. So kannst du deine Ideen zu einer Erörterung schon gleich nach Pro- und Kontra-Argumenten unterteilen. Oder du sammelst deine Gedanken zu einer Textinterpretation unter den Stichwörtern „formaler Aufbau", „Inhalt", „Sprache" und „Interpretation".
- Du kannst dein Konzeptpapier in vier gleiche Teile einteilen und jedes entstandene Viereck mit einer Art Überschrift versehen, die dir zum Thema einfällt. Z.B. „Umgebung", „Personen", „Handlung", „Ereignisse". Auch dieser kleine Trick hilft dir, deine Ideen sofort zu ordnen.

Weitere Techniken zur Materialsammlung findest du im Kapitel „Besondere Arbeitstechniken" unter den Überschriften „Brainstorming", „Zetteltechnik" und „Mindmap".

Und hier ein Beispiel für die Stoffsammlung zum Thema „Eine Begegnung mit Außerirdischen“:

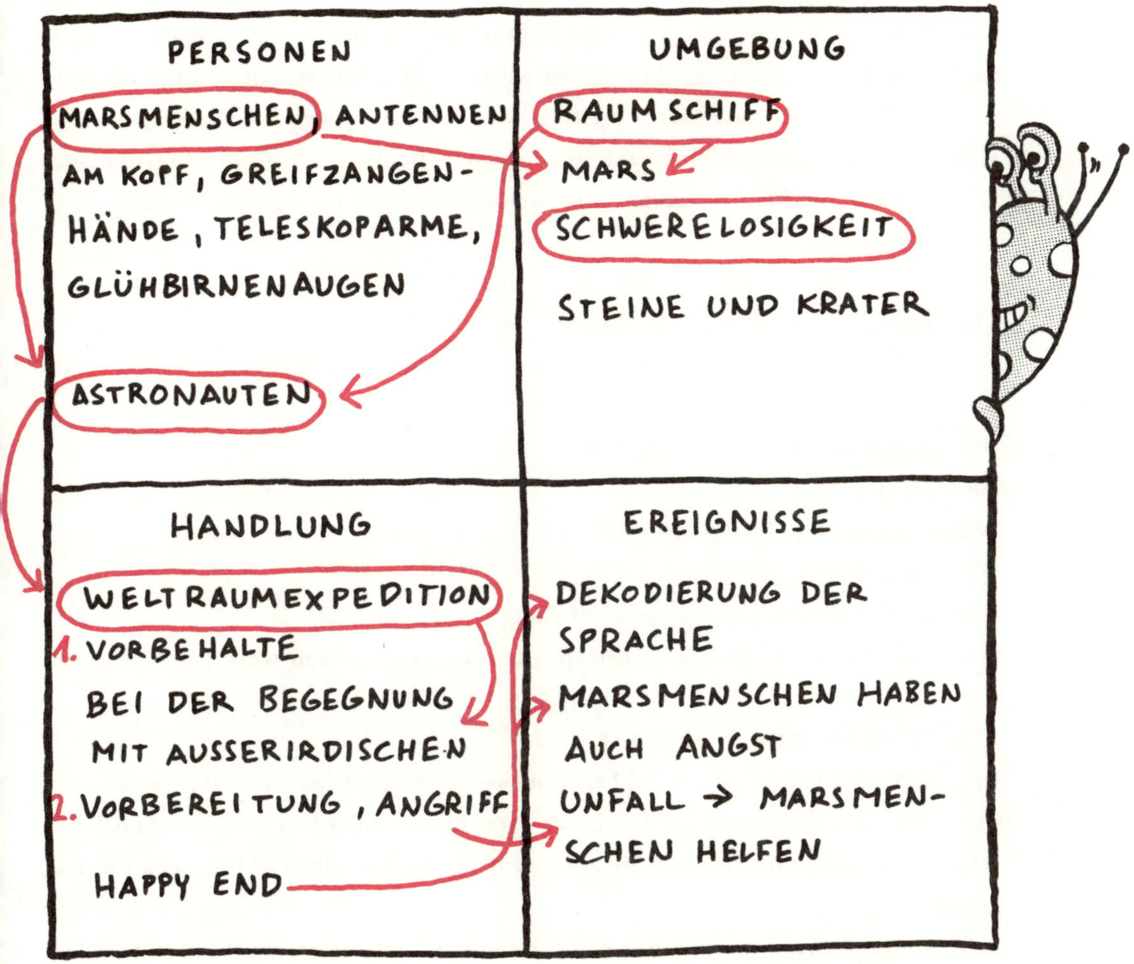

Stoffgliederung - Einleitung

Benutze Textmarker und Filzstifte in verschiedenen Farben. Nimm deine Stoffsammlung noch einmal genau unter die Lupe. Gedanken, die zusammengehören, markierst du mit der gleichen Farbe. Verbinde Wörter und Sätze mit Pfeilen, und stelle so Zusammenhänge her. Prüfe, welche Gliederungspunkte du aus deinen Notizen formulieren kannst, und versuche Oberbegriffe zu finden.

Überlege, welche Gedanken in die Einleitung gehören, welche in den Hauptteil und welche in den Schluss. Ein und derselbe Gedanke kann dabei durchaus auch mehrmals aufgegriffen werden. Jetzt musst du dich entscheiden, wie die Gliederung genau aussehen soll. Bei einer **Fantasiegeschichte** wirst du in der Einleitung Spannung aufbauen, Fragen aufwerfen, eine interessante Situation entwickeln. Bei einem **Sachtext** schreibst du in die Einleitung, worum es geht und was der Schreibanlass des Textes ist. Beziehst du dich auf eine Textgrundlage, schreibst du in die Einleitung, um welche Textgattung es sich handelt, und nennst Autor und Titel.

Stoffgliederung - Hauptteil

Deinen Hauptteil kannst du mit Hilfe der W-Fragen strukturieren:

Was ist geschehen?
Wer war beteiligt?
Wann und **wo** ist es geschehen?
Wie genau waren die Umstände?
Was war der **Zweck** und was war das **Ziel**?
Natürlich müssen nicht alle Fragen in jeder Gliederung beantwortet werden.

Stoffgliederung - Schluss

In einem **Sachtext** wird im Schluss eine persönliche Bewertung abgegeben und die Bedeutung des Textes für den Leser dargestellt. Außerdem kann man noch offene Fragen formulieren oder Ausblicke auf die weitere Entwicklung des Themas geben.
Auch in der **Fantasiegeschichte** kann die mögliche Weiterentwicklung des Falles angedeutet werden. Es können auch Fragen bewusst offen bleiben. Aber auf jeden Fall sollte der Schluss einer Fantasiegeschichte sehr kurz ausfallen.

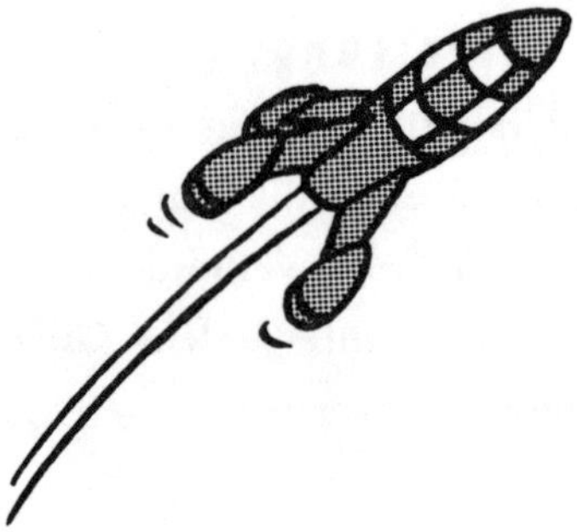

Und so könnte eine Gliederung für meine Fantasiegeschichte „Eine Begegnung mit Außerirdischen" aussehen:

- **Einleitung:**

Marsexpedition: Zwei Forscher und zwei Forscherinnen in gefährlicher Mission mit einem völlig neuartigen Raumschiff

- **Hauptteil:**

Bruchlandung auf dem Mars, das Raumschiff sitzt in einer Felsspalte fest
Begegnung mit den Marsmenschen, Angst und Misstrauen im Forscherteam
Vorbereitung zu einem Kampf mit vielen Unbekannten
Zufällige Informationen vom Sprachentschlüsselungscomputer (Dekodiergerät)
Marsmenschen sind friedlich und helfen, das Raumschiff wieder flottzumachen

- **Schluss:**

Abreise unter Tränen mit dem Versprechen, sich wieder zu sehen

Gestaltung des Aufsatzes

Häufig wirken Schüleraufsätze flach und leblos, der Leser hat Schwierigkeiten, sich in die Situation hineinzufühlen. Hier ein Tipp, wie du das vermeiden und deinen Aufsatz lebendig und hautnah gestalten kannst:

Wir Menschen nehmen unsere Umgebung nicht nur mit den Augen wahr. Vielmehr sind alle unsere Sinne in jedem Moment aktiv und liefern unserem Gehirn in jedem Moment einen Gesamteindruck unseres Erlebens. Wir sehen, hören, fühlen, schmecken und riechen.

Wenn du möchtest, dass deine Leser eine möglichst lebendige Vorstellung von dem erhalten, was du ihnen schilderst, musst du während deines gesamten Aufsatztextes permanent **alle Sinne** ansprechen. Unsere Haut kann zart, hart, rauh und glatt unterscheiden, eine Sache kann süß oder bitter schmecken, würzig, lieblich oder faulig riechen. Der Held hat vielleicht Herzklopfen oder schweißnasse Hände. Vielleicht sträuben sich ihm die Nackenhaare, oder er bekommt eine Gänsehaut.

Versuche bei jeder Situation, die du beschreibst, mindestens drei verschiedene Sinne anzusprechen. Überlege genau, wie sich z.B. ein Astronaut vor einer Weltraumexpedition fühlt. Ist er ganz cool oder ängstlich? Ist es vielleicht ein feierliches Gefühl? Wie klingt es, wenn er die Rakete betritt? Hört er Klappern, Rauschen oder Stimmengewirr? Sieht er Armaturen und Schalter, Kontrolllampen und Hebel? Was riecht er? Frisch lackierte Metalle, Chemikalien oder das Parfüm seiner Frau, die ihn zum Abschied umarmt hat?

Wortschatzkartei

Es gibt Wörter, die wir immer wieder brauchen und die sich oft wiederholen. Eine sinnvolle Übung zum Aufsatzschreiben ist das Anlegen einer Wortschatzkartei. Mit einem großen Wortschatz kannst du nicht nur Wiederholungen vermeiden, sondern dich auch viel genauer ausdrücken und Leben in deine Sprache bringen. Sammle alle Verben der Fortbewegung oder alle Adjektive, die etwas Schönes beschreiben. Du kannst dir aus dem Schülerduden Wörter heraussuchen und gleichbedeutende Wörter und Umschreibungen dazu finden. Wenn du mit anderen zusammen lernst, kann man daraus auch ein Wettspiel veranstalten: Wer findet die meisten Wörter zu „sprechen".

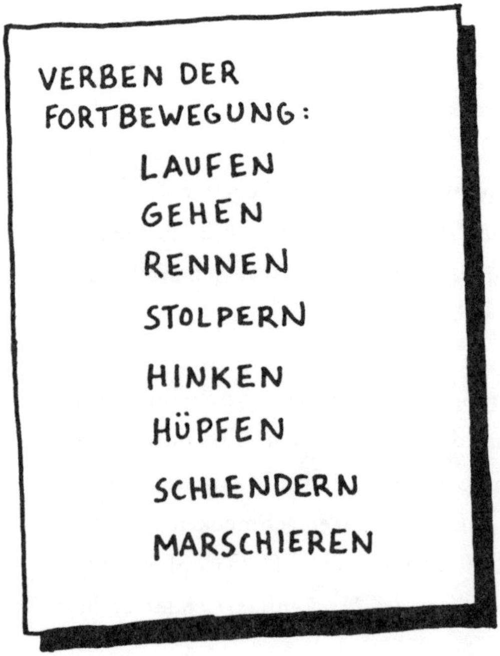

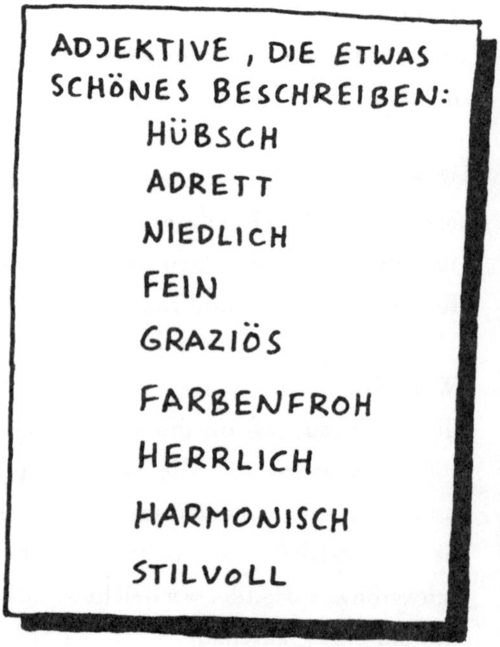

Kapitel 3: Besondere Arbeitstechniken

Diese Techniken kannst du für alle Fächer anwenden, sie eignen sich gut zur abwechslungsreichen Wiederholung. Die **Kreativtechniken** sind dabei sehr vielseitig. Du kannst sie als Stoffsammlung oder Gliederungsmethode benutzen, z.B. vor einem Aufsatz oder Referat.

Du kannst aber auch all dein Vorwissen zu einem bestimmten Thema damit abrufen oder Lernstoff damit wiederholen. Sie eignen sich auch, um dir Notizen zu wichtigen Gesprächen oder Unterrichtsstunden zu machen. Du kannst deine Klassenarbeitsvorbereitung planen, indem du dir die zu behandelnden Stoffgebiete übersichtlich aufzeichnest und gliederst.

Mnemotechniken (Erinnerungstechniken) sind Methoden, mit deren Hilfe du dir Zahlen, Fakten, Daten und Vokabeln gut einprägen und wieder abrufen kannst.

Insgesamt sollen dir die hier aufgeführten Techniken helfen, deine Klassenarbeitsvorbereitungen abwechslungsreich und fantasievoll zu gestalten.

Kreativtechniken

In deinem Gehirn sind immer ganz viele Ideen und Erkenntnisse, Gefühle und Bilder zu einem Thema gleichzeitig vorhanden. Du hast dann das Gefühl, sehr viel zu einem Thema zu wissen, z.B. einen Aufsatz oder ein Referat schon fertig im Kopf zu haben. Alle Gedanken wollen dann gleichzeitig aus dir heraus. Und wenn du dann alles aufschreiben möchtest, weißt du nicht, wo du beginnen sollst, was zuerst kommt. Vielleicht weißt du auch plötzlich überhaupt nichts mehr. Wie eine elektrische Leitung bei Überlastung zusammenbricht, entsteht bei dir eine Denkblockade, ein „Informationsstau".

Es gibt verschiedene Methoden, einen solchen Informationsstau abzubauen. Sie beruhen alle darauf, erst einmal völlig unzensiert alle Ideen aufzuschreiben, um sie dann in einem zweiten Schritt in eine richtige Reihenfolge zu bringen, Wichtiges von Unwichtigem zu trennen und alles zu gliedern. Du bekommst so einen roten Faden, der all deine Ideen miteinander verknüpft.

BRAINSTORMING

Du benötigst ein großes weißes Blatt und feine Filzstifte in verschiedenen Farben.

Für diese Arbeit kannst du es dir gemütlich machen, eine Kerze anzünden, ruhige Musik anstellen, dich in eine Decke rollen und auf den Teppich legen – wie es dir gefällt. Zuerst schreibst du das Thema auf das Blatt und dann alles, was dir dazu einfällt. Schreibe alles auf, wie es kommt, nicht nur Stichwörter sind gefragt, sondern auch Zeichnungen, Liedanfänge, Zitate... Lass dir dazu viel Zeit. Wenn dir nichts mehr einfällt, greifst du zu den bunten Filzstiften und kreist alles mit der gleichen Farbe ein, was deiner Meinung nach zusammengehört. Wenn ein Stichwort zu verschiedenen Farben passt, kann es auch mehrere Kreise bekommen.

In einem dritten Schritt überlegst du dir, ob es zu den Begriffen einer Farbe Oberbegriffe gibt. Diese bekommen einen extra-dicken Doppelkreis.

Und so könnte dein Bild aussehen:

Nun kannst du die Begriffe in deinem Heft zu einer Gliederung formen. Diese Methode ist auch eine Alternative zur „Gedächtnisuhr“ bei der Heftführung. Die Stichwörter werden zu Hause – sozusagen als Stundennachbereitung – mit den bunten Kreisen versehen. Du setzt dich auf diese Weise produktiv und dennoch zeitsparend mit der Unterrichtsstunde auseinander. Wenn du es schaffst, das Wörterwirrwarr wieder in eine sinnvolle Reihenfolge zu bringen, zeigt das, dass du das Wichtigste der Stunde verstanden hast.

ZETTELMETHODE

Diese Methode eignet sich besonders, wenn du verschiedene Lösungsmöglichkeiten zu einem Problem ausprobieren möchtest.
Du benötigst viele Notizzettel oder den DIN-A7-Karteikasten. Mache es dir wieder gemütlich mit Duftkerze, Musik und Tee, oder was für dich gemütlich ist. Schreibe oder zeichne deine Einfälle, wie sie kommen, auf je einen Zettel. Lass dir auch hierfür viel Zeit.

Wenn du fertig bist, kannst du die Karteikarten sortieren. Was sind Oberbegriffe, welche Unterbegriffe gliedern sich darunter? Auch hier arbeitest du wieder mit verschiedenen Farben. Wenn du verschiedene Gliederungsmöglichkeiten ausprobiert hast, kannst du dich für die beste entscheiden.

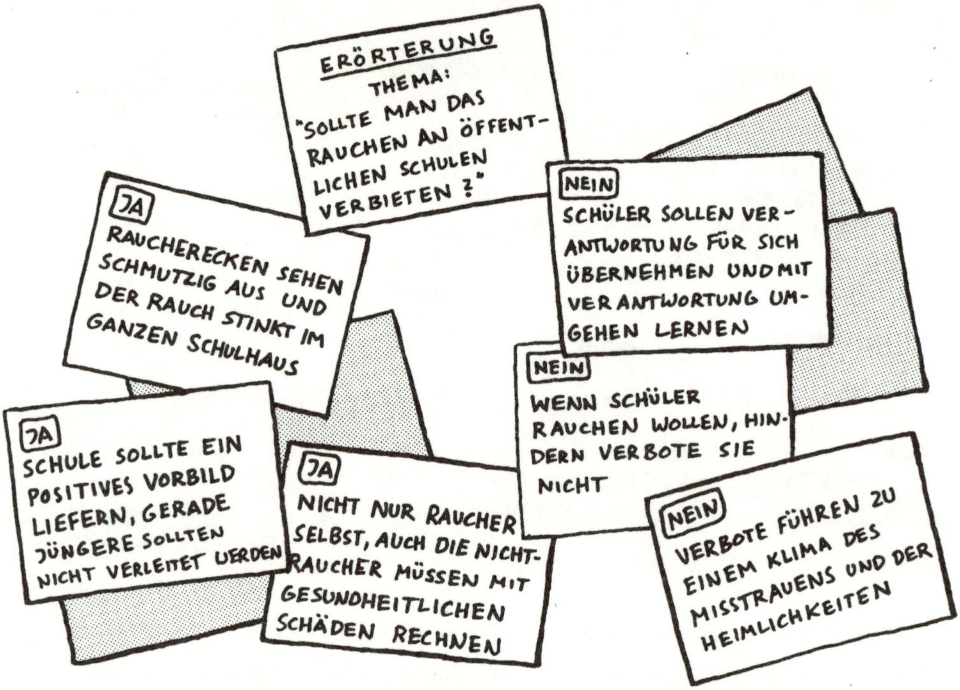

Übernimm die Gliederung in dein Heft. So kannst du dich an ihr wie an einem roten Faden entlanghangeln.

MIND MAPPING

Die letzte Methode, die hier vorgeschlagen wird, kannst du ungefähr ab der 8. Klasse anwenden. Sie wird dir leichter fallen, wenn du die beiden anderen Methoden ausprobiert hast und geübt hast, Oberbegriffe zu bilden.

Du benötigst ein großes weißes Blatt, bunte Filzstifte sowie die bekannte gemütliche Atmosphäre. Schreibe das Thema, zu dem du arbeiten möchtest, mit Großbuchstaben in die Mitte des Blattes. Zeichne einen Kreis oder eine Wolke drum herum. Jetzt schreibst du deine Gedanken an Äste, die von dieser Wolke abzweigen, sodass dein Gebilde wie ein Baum von oben aussieht.

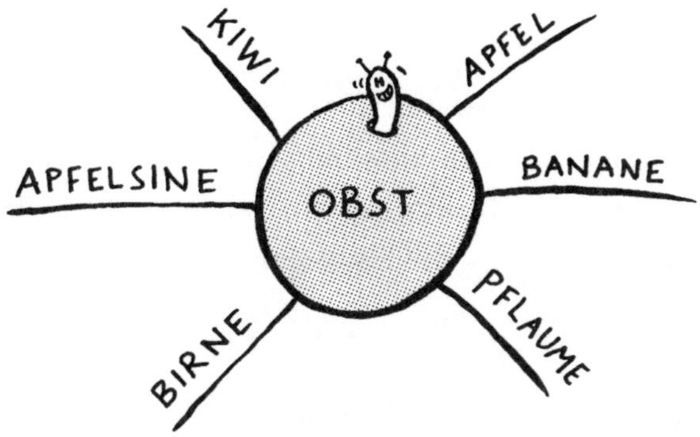

Wenn du das Gefühl bekommst, dass ein Begriff mit einem anderen sehr eng verwandt ist, kannst du aus den Hauptästen Seitenäste wachsen lassen. Ein Begriff kann an mehreren Ästen gleichzeitig auftauchen. Auch Bilder, Zitate, Gedichtanfänge u.ä. sind erlaubt. Mit der Zeit wirst du automatisch Oberbegriffe finden, an die du dann die Unterbegriffe hängst.

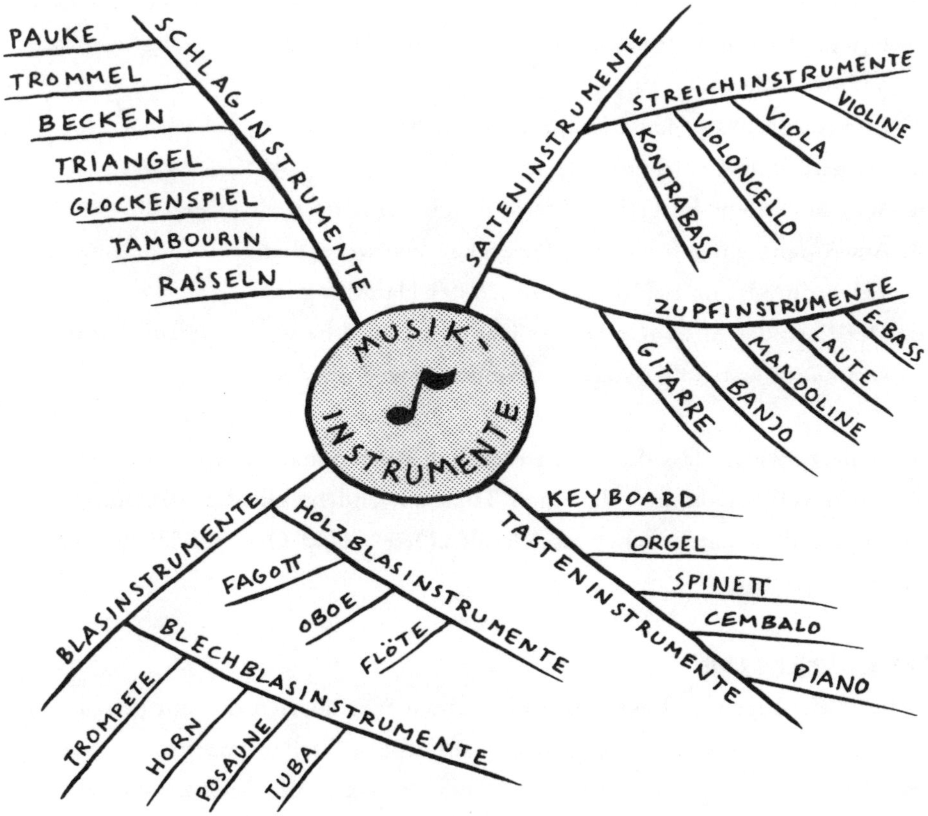

Mnemotechniken

Zwei Tage vor der Klassenarbeit hast du den ganzen Stoff schon einmal durchgekaut, die Wiederholungsmethoden müssen gewährleisten, dass du dich nicht langweilst. Außerdem hat sich inzwischen eine ganze Menge Übungsstoff angesammelt. Die Wiederholung muss also zeitsparend und effektiv sein.

LOCI-TECHNIK

Die Loci-Technik eignet sich besonders, wenn du dir viele Fakten oder Ereignisse merken musst. Hier wird sie am Beispiel „Merkmale einer Inhaltsangabe" erläutert.

Im Unterricht hast du dir die Merkmale einer Inhaltsangabe in einem roten Kasten in dein Heft geschrieben. So könnten sie aussehen:

Merkmale einer Inhaltsangabe:

1. Eine Inhaltsangabe fasst das Wesentliche eines Textes, einer Rede oder eines Filmes zusammen, um den Leser zu informieren, ihn neugierig zu machen oder für eine Sache zu werben.
2. Ihre Ausdrucksweise ist knapp und sachlich.
3. Sie wird immer im Präsens geschrieben.
4. Wörtliche Rede im Original wird durch indirekte Rede ersetzt.
5. Am Anfang einer Inhaltsangabe stehen alle wesentlichen Informationen zur Zeit, zum Ort und zu den Personen der Handlung.
6. Der Kern der Aussage oder der Handlung wird bereits in der Einleitung zusammengefasst, so dass kein Spannungsbogen entsteht.

Um sicherzugehen, dass du diese wesentlichen Merkmale während der Klassenarbeit nicht vergisst, kannst du einen Trick anwenden: Die Loci-Technik. „Loci" kommt aus dem Lateinischen und heißt „Orte". Und Orte spielen bei ihr auch eine wichtige Rolle.

Orte einprägen

Schließe die Augen und gehe im Geiste einen Weg ab, den du sehr genau kennst, z.B. deinen Schulweg. An besonders auffälligen Stellen machst du Halt und prägst dir den Ort genau ein: ein besonderer Baum, die Telefonzelle, ein Jägerzaun, die Ampel.

Merkmale mit Orten verbinden

Lies dir jetzt das erste Merkmal einer Inhaltsangabe durch:

„Eine Inhaltsangabe fasst das Wesentliche eines Textes, eine Rede oder eines Filmes zusammen, um den Leser zu informieren, ihn neugierig zu machen oder für eine Sache zu werben."

Schließe wieder die Augen und stelle dir deine erste Station auf dem Schulweg vor. Bringe das Merkmal mit dem Ort in Verbindung. In meinem Beispiel wäre es der Baum. Ich stelle mir vor, das Herbstlaub unter dem Baum stellt die **wesentlichen Punkte eines Textes** dar.
Ich zeige sie einem Passanten, um ihn zu **informieren**: „Sehen Sie, ein Eichenblatt! Die typische geschwungene Form, es ist herbstlich braun..."
Einen zweiten Passanten mache ich **neugierig**: „Rate mal, was ich hier in meiner Tasche versteckt habe. Es ist braun und sehr dünn und am Rand gezackt..."
Dem dritten Passanten möchte ich das Blatt verkaufen. Ich möchte für das Blatt **werben**: „Sieh, dieses Blatt, formschön und vollendet, die schöne braune Farbe..."
Scheue dich nicht, ganz absurde Vorstellungen zu entwickeln. Je verrückter deine Ideen sind, desto besser prägen sie sich ein.
Wenn du das erste Merkmal mit der ersten Station deines Schulweges verbunden hast, siehst du dir das zweite Merkmal an:

„Die Ausdrucksweise der Inhaltsangabe ist knapp und sachlich."

Schließe die Augen und gehe im Geiste zur zweiten Station auf deinem Weg. Bei mir ist es die Telefonzelle.
Ich gehe in die Telefonzelle und rufe den Kaiser von China an. „Entschuldigen Sie, ich muss mich ganz **knapp und sachlich ausdrücken**. Ich habe nur drei Münzen..." Und weg ist er.
So gehst du ein Merkmal nach dem anderen durch und verknüpfst es mit den Stationen auf deinem Schulweg.
Wenn dir während der Klassenarbeit vor Aufregung die Merkmale nicht mehr einfallen, musst du nur im Geiste deinen Schulweg gehen und die gewünschten Informationen unterwegs mitnehmen. Du findest sie garantiert wieder.

Übrigens: Meine Beispiele sehen sehr lang aus, weil ich sie aufschreiben musste. Da im Gehirn viele Dinge gleichzeitig wahrgenommen werden, geht in Wirklichkeit alles viel schneller, vor allem, wenn du die geistigen Bilder während der Klassenarbeit wieder abrufst.

GESCHICHTENTECHNIK

Ähnlich wie die Loci-Technik versucht auch die Geschichtentechnik, offenbar abstrakte und unzusammenhängende Zahlen, Fakten, Daten oder Vokabeln in einen sinnvollen Zusammenhang zu bringen.
Aufgabe ist es, die Begriffe, die du dir merken möchtest, in einer logischen, zusammenhängenden Geschichte zu verknüpfen. Diese Geschichte kann nicht nur, sie sollte sogar sehr albern und lustig sein. Denn gerade sehr ungewohnte Vorstellungen, die sich vom normalen Alltag abheben, können wir uns besonders gut merken. Der Trick liegt darin, dass wir zusammenhängende Geschichten in aller Regel gut behalten können. Wenn wir sie im Geiste während der Klassenarbeit nacherzählen, fallen uns alle in ihr enthaltenen Begriffe wieder ein.
Du kannst die Technik z.B. bei der Diktatvorbereitung nutzen. So könntest du vielleicht alle Wörter mit Doppel-e zu einer Geschichte verbinden, wenn das gerade dein Rechtschreibthema ist. Wenn du dann während der Klassenarbeit vor der Frage stehst, ob ein Wort mit Doppel-e oder Dehnungs-h geschrieben wird, musst du dir nur überlegen, ob es in deiner Doppel-e-Geschichte eine wichtige Rolle gespielt hat.
Du kannst auch eine deutsche Geschichte bilden, in die du deine Englisch-Vokabeln in der Fremdsprache einbaust. So kannst du sie dir während des Vokabel-Tests ganz einfach abrufen.
Probiere die Technik doch gleich einmal aus:
Bilde aus den folgenden 15 Wörtern in der gegebenen Reihenfolge innerhalb von 5 Minuten eine zusammenhängende Geschichte.

Butterbrot; Tanne; Fernseher; Gartenschlauch; Füllhalter; Bushaltestelle; Nähmaschine; Zigarre; Abfalleimer; Notenständer; Haustür; Fluss; Blumenvase; Windhund; Vollmilchschokolade.

Versuche jetzt, die Geschichte auswendig zu erzählen und dich dabei an alle Begriffe zu erinnern.

INNERE BILDER

Diese Technik eignet sich immer dann, wenn du dir größere Zusammenhänge merken musst, z.B. wenn du einen bereits behandelten Text als Vergleichsmaterial in der Klassenarbeit parat haben musst. Du kannst dir mit dieser Technik den genauen Handlungsablauf bildlich vorstellen. Hier soll die Technik am Beispiel der englischen Verben des Sehens und Hörens verdeutlicht werden.

The verbs of looking/seeing and hearing

to see	(ungewollt) sehen
to look	bewusst nach etwas schauen
to watch	genau beobachten
to stare at	anstarren
to hear	(ungewollt) hören
to listen to	bewusst zuhören, lauschen

Bei der Technik der inneren Bilder ist es sinnvoll, die Augen zu schließen. Eine ruhige, meditative Musik kann nicht schaden.

Stelle dir das erste Verb des Sehens vor: **to see – (ungewollt) sehen**

Denke dir eine Szene aus, bei der du viele Dinge ungewollt siehst, die Straße, die Bäume, Passanten... Wiederhole im Geiste immer wieder: **I'm seeing the tree, I'm seeing the traffic-light, I'm seeing the people**. Lasse dir viel Zeit, um dir die Szene plastisch vorzustellen.

Öffne die Augen und mache zwei Minuten Pause, in der du die Gedanken kommen und gehen lässt.

Danach stellst du dir **to hear – ohne Absicht hören** vor. Vielleicht gehst du in Gedanken durch einen Wald und hörst Vögel, den Wind, einen Bach und wiederholst im Geiste: **I'm hearing the bird**.

Nach einer Pause von zwei Minuten gehst du zu **to look – bewusst nach etwas schauen** über. Vielleicht suchst du im Geiste deinen Schlüssel und kommentierst innerlich den Vorgang: **I'm looking under the table, I'm looking behind the cupboard...**

Achte darauf, dass sich die Szenen für jedes Wort voneinander unterscheiden, um Ähnlichkeitshemmungen zu vermeiden.

ERZÄHLEN

Es ist sehr effektiv, wenn du jemanden findest, dem du alles, was du gelernt hast, erzählen kannst. Du bist dann gezwungen, die Inhalte noch einmal sehr genau zu durchdenken und in eine sinnvolle Reihenfolge zu bringen. Dein Gesprächspartner kann zurückfragen, wenn ihm etwas noch nicht klar ist. So weißt du ganz genau, was du dir vor der Klassenarbeit noch einmal ansehen solltest. Wenn du zu Hause keinen findest, der dir zuhören kann, rufe einen Freund oder eine Freundin an, und wiederhole das Gelernte am Telefon.
Notfalls kannst du den Lernstoff auch auf Band sprechen und dir dann selbst zuhören, indem du das Band noch einmal ablaufen lässt.

SPICKZETTEL / SCHUMMELZETTEL SCHREIBEN

Diese Methode gibt es wohl schon, seit es Schüler gibt. Dass sie jedoch eine sinnvolle und hocheffektive Klassenarbeitsvorbereitung sein kann, ist dir wahrscheinlich neu.
Es ist nicht unbedingst nötig, besonders viel zu wiederholen. Meist ist es sinnvoll, sich wenige, aber zentrale Punkte zu merken. Wenn es dir gelingt, den Lernstoff auf wenige knappe, aber wesentliche Punkte zu reduzieren, kannst du dich an alles andere erinnern, was mit ihnen zusammenhängt. Den gesamten Stoff für die Klassenarbeit auf einen DIN-A7-Zettel zu reduzieren, bedeutet, dass du den Stoff verstanden haben musst. Außerdem ist es eine kreative Leistung, weil du dich intensiv mit dem Lernstoff auseinander setzt. Während der Klassenarbeit verleiht dir der Zettel Sicherheit, obwohl du ihn in der Regel nicht brauchst.

Kapitel 4: Mentale Vorbereitung

Die Angst hat für uns Menschen ursprünglich eine lebenswichtige Funktion. Stelle dir vor, du begegnest bei einem Spaziergang durch den Wald einem Bären, was unseren Vorfahren öfters passiert sein mag. Würdest du erst umständlich nachdenken, was in dieser Situation wohl am besten zu tun sei, hätte er dich schon längst überwältigt. Deshalb setzt unser Gehirn in Gefahrensituationen das Hormon Adrenalin frei. Es bewirkt, dass alle bewussten Denkprozesse blockiert werden und du nur noch drei Möglichkeiten hast zu handeln: Ist der Abstand zum Gegner groß genug, wirst du automatisch die Flucht ergreifen. Ist die Bedrohung schon zu nah, wirst du entweder kampfbereit sein oder dich, wie das Kaninchen vor der Schlange, tot stellen.
In dieser Situation ist der menschliche Organismus in erhöhter Alarmbereitschaft. Die Symptome kennst du: erhöhter Pulsschlag, zittern, benebelter Kopf, Druck im Magen oder auf der Brust, angespannte Muskulatur, schweißfeuchte Hände. Diese Angstsymptome kennst du von Klassenarbeiten. Dein Gehirn erkennt die Angst als Gefahr, schüttet Adrenalin aus, und deine bewussten Denkprozesse werden blockiert. Da du weder fliehen noch kämpfen kannst, stellst du dich tot.

Du siehst schon: Eine Reaktion, die bei einer Begegnung mit einem Bären angemessen ist, wird dir in der Schule zum Verhängnis. Weder ist dein Mathelehrer ein wildes Tier, noch geht es dir während der Klassenarbeit an Leib und Leben. Vielmehr sind freie Gedanken und ein klarer Kopf die Voraussetzungen für das Gelingen einer Arbeit.

Es gibt verschiedene Methoden, sich von der Angst vor Klassenarbeiten freizumachen. Vielleicht haben dir schon die Arbeitstechniken geholfen, indem du mit mehr Sicherheit und Vertrauen in die Klassenarbeit gehst. Die Übungen, die du auf den nun folgenden Seiten kennen lernen wirst, sollen

- deine Ängste beseitigen und dein Selbstvertrauen stärken,
- dir helfen, Ruhe zu finden und
- deine Konzentrationsfähigkeit steigern.

Allerdings musst du dir klarmachen, dass all diese Probleme tief in deinem Unterbewusstsein sitzen und du sie nicht von heute auf morgen loswerden kannst. Die Übungen, die dir angeboten werden, sind nicht schwierig, die meisten sind nicht einmal mit Arbeit verbunden. Du benötigst nur Geduld und die Bereitschaft, auch ganz kleine Erfolge als Erfolge anzuerkennen und dich durch Rückschläge nicht entmutigen zu lassen.
Lies dir das Kapitel durch und probiere die eine oder andere Übung, die dich anspricht, schon einmal aus. Dann entscheidest du dich, welche Übungen du mindestens vier Wochen lang regelmäßig durchführen möchtest. Eine Kombination von zwei oder drei Übungen ist sinnvoll.

Wovor hast du eigentlich Angst?

Diese Übung ist für alle, die sich nicht so gerne ihren Gefühlen überlassen, sondern lieber ihren Kopf einschalten, um ein Problem zu lösen.
Du sollst herausfinden, warum Klassenarbeiten für dich so schrecklich sind, welche Konsequenzen du fürchtest, was du bei Versagen zu verlieren hast. Im zweiten Schritt überlegst du dir, ob diese Konsequenzen auch tatsächlich eintreten, wenn du bei einer Klassenarbeit versagst. Damit hat sich zwar noch nichts an deiner Note verändert, aber du kannst viel ruhiger und gelassener in die kommende Arbeit gehen, wenn dir bewusst wird, dass nichts so heiß gegessen wird, wie es gekocht wird. Je weniger dich das zu erwartende Ergebnis beunruhigt, desto besser kannst du dich auf das Wesentliche konzentrieren.

Und so wird's gemacht:

NOTIERE SITUATIONEN, IN DENEN DU ANGST HAST

Du kannst nach einer der Stoffsammlungsmethoden im Kapitel „Besondere Arbeitstechniken" vorgehen, also Brainstorming, Zetteltechnik oder Mind map. Mache es dir gemütlich und notiere alle Situationen, die dir Angst machen: Klassenarbeiten, Chorauftritte, Zahnarztbesuche…

ÜBERLEGE, WELCHE KONSEQUENZEN DICH ERWARTEN

Drehe jeden Punkt in Gedanken hin und her und überlege, was im schlimmsten Fall passieren kann, wenn deine Befürchtungen eintreffen. Wenn du zum Zahnarzt gehst, kann er gewaltig bohren oder sogar einen Zahn ziehen. Es geht dir also – wenn schon nicht ans Leben – dann doch wenigstens an den Leib. Deine Angst ist also nicht ganz unberechtigt. Aber wie sieht es bei Klassenarbeitssituationen aus? Als Hilfestellung hier noch drei Vorschläge, welcher Art deine Ängste sein können.

- Ängste um Leib und Leben hast du, wenn du befürchtest, deinen Schulabschluss oder Numerus clausus nicht zu schaffen und damit keine gute Ausbildung absolvieren, deine Berufswünsche nicht erfüllen zu können. Oder wenn du befürchten musst, dass deine Eltern dich mit Sack und Pack auf die Straße setzen und du dir selbst überlassen bleibst.

- Ängste um deine Sicherheit und Geborgenheit hast du, wenn du befürchtest, deine Eltern zu enttäuschen und von ihnen nicht mehr geliebt zu werden. Auch wenn du damit rechnen musst, von deinem Lehrer ausgegrenzt oder von deiner Clique verstoßen zu werden. Wenn du denkst, gute Noten zu brauchen, um dazuzugehören, um „IN" zu sein.
- Um dein „Prestige" fürchtest du, wenn du gute Noten brauchst, um Anerkennung und Bewunderung der anderen zu erlangen, wenn du einmal im Rampenlicht des Erfolgs stehen willst, wenn du eine besondere, herausgehobene Stellung in der Klasse anstrebst.

TREFFEN DIESE KONSEQUENZEN TATSÄCHLICH ZU?

Wenn du mit Hilfe dieser Vorschläge herausgefunden hast, welche Konsequenzen du fürchtest, denke darüber nach, ob sie tatsächlich so eintreffen. Ist es wirklich so, dass die anderen dich nicht mehr akzeptieren, weil du schlechte Noten schreibst? Bist du wirklich der „King", wenn du nur Einsen hast usw.

Alles in einem anderen Licht sehen

Auch bei dieser Übung geht es darum, störende Gedanken auch einmal aus einer anderen Perspektive zu sehen, genau zu hinterfragen. Wie du schon erfahren hast, wird Angst nicht von der Vernunft gesteuert, sondern im Gegenteil wird die Vernunft völlig ausgeblendet. Und wenn du ganz genau hinsiehst, merkst du, dass nicht die Klassenarbeit selbst so bedrohlich ist, sondern deine Einstellung zu ihr. Du produzierst durch deine permanenten negativen Gedanken und Grübeleien das Angstgefühl selbst. Genau da liegt aber auch deine Chance. Wenn es dir mit deinen Gedanken gelingt, ein Angstgefühl zu erzeugen, warum sollte es dann auch nicht umgekehrt funktionieren? Es liegt in deiner Macht, dir positive Gedanken zu machen und mit diesen Gedanken ein sicheres und gutes Gefühl vor der Klassenarbeit zu erzeugen.

Du solltest mit dieser Übung nicht an dem Tag vor der Klassenarbeit anfangen, sondern dir ein wenig Zeit für sie gönnen.

Vorbereitung

Du benötigst zwei Blätter weißes Papier und viele bunte Filzstifte. Außerdem eine schöne Atmosphäre mit ruhiger Musik, Kerzen, Tee und allem, was dazugehört.

Negative Gedanken formulieren

Jetzt zeichnest du in die Mitte des ersten Blattes dich als trauriges, ängstliches Strichmännchen. Um das Strichmännchen herum zeichnest du Denkblasen, in die du alle Gedanken schreibst, die dir vor einer Klassenarbeit in den Sinn kommen und die dir Angst machen. Jede Denkblase bekommt eine andere Farbe. Schreibe vor allem auch die Gedanken auf, die du peinlich oder lächerlich findest. Folgende Sätze könnten in deinen Denkblasen stehen:

- „In der Klassenarbeit geht sowieso alles daneben, Mathe ist eben nicht mein Fach."
- „Es ist so peinlich, wenn der Lehrer die Arbeit zurückgibt, und ich habe eine Fünf. Bestimmt lachen dann alle über mich."
- „Wenn diese Arbeit wieder danebengeht, kann ich aufgeben. Dann bin ich ein Versager."
- „Der Lehrer kann mich ohnehin nicht leiden. Bei dem komme ich nie auf einen grünen Zweig."

Die Gedanken neu bewerten

Wenn dir keine hinderlichen Gedanken mehr einfallen, bewertest du deine Gedanken neu. Dazu zeichnest du dich als fröhliches, mutiges Strichmännchen auf das zweite Blatt. Um das Strichmännchen kommen ebenfalls Denkblasen in den gleichen Farben wie auf Blatt 1, denn jeder hinderliche Gedanke bekommt jetzt einen Partner, der dir hilft, die Angst zu überwinden.
Beantworte folgende Fragen, um deine Gedanken neu zu bewerten:

- Ist die Aussage wahr?
- Ist die Aussage verzerrt oder übertrieben?
- Hilft mir die Aussage in der Klassenarbeit, oder ist sie mir hinderlich?

Wenn die Aussage nicht wahr ist, hat sie sich selbst entkräftet. Z.B. lacht wahrscheinlich kein Mensch, wenn du eine schlechte Note bekommst. Das ist auch nicht peinlich, sondern lediglich ein Zeichen, dass du etwas noch nicht verstanden hast. Und genau das könnte in einer Denkblase des zweiten Blattes stehen.

Wenn du feststellst, dass eine Aussage verzerrt oder übertrieben ist, stelle sie richtig. In der entsprechenden Denkblase könnte stehen: „Es stimmt nicht, dass in Mathe immer alles danebengeht. In Geometrie z.B. habe ich eine gute Note geschrieben, und der Unterricht hat mir viel Spaß gemacht. Wie die nächste Mathematikarbeit ausgeht, ist noch offen. Es liegt an mir, ob ich mich vorbereite und im Unterricht mitarbeite. Wenn ich dann auch noch ruhig und gelassen bin, habe ich alle Chancen, eine akzeptable bis gute Note zu schreiben."

Es ist natürlich möglich, dass eine Aussage bis zu diesem Zeitpunkt stimmt. Es ist manchmal schwer einzusehen, warum man „wahre Gedanken", die man „schon immer" gedacht hat, einfach über den Haufen werfen soll. Aber negative Gedanken, so wahr sie dir auch erscheinen mögen, helfen dir nicht weiter. Sie machen schlimme Situationen noch unerfreulicher. Es steht in deiner Macht, deine Einstellung und Gedanken zu einer Situation zu ändern. Du könntest z.B. schreiben: „Vielleicht ist der Lehrer gar nicht so übel. Er könnte aus irgendeinem Grund einen falschen Eindruck von mir bekommen haben. Ich versuche einen Neuanfang und signalisiere ihm das durch ein freundliches Verhalten und regelmäßige Beteiligung am Unterricht."

Wenn dir die Formulierung positiver Gedanken noch schwer fällt, überlege, was du einem guten Freund oder einer Freundin in dieser Situation raten würdest. Wenn du dich erst einmal daran gewöhnt hast, die Dinge positiv zu sehen, werden dir nicht nur Klassenarbeiten, sondern auch alle anderen Lebensbereiche in einem anderen Licht erscheinen.

Mit den neuen Gedanken arbeiten

Hänge dir das Blatt mit den positiven Gedanken über den Schreibtisch, und lies sie dir mehrmals täglich durch.
Du kannst auch öfter dein Blatt mit den negativen Gedanken zur Hand nehmen und aus dem Kopf die positiven Erwiderungen formulieren.
Versuche die positiven Formulierungen auswendig zu sagen oder zu denken, wenn du dich auf dem Schulweg befindest, in der Kassenschlange im Supermarkt stehst oder sonst gerade Zeit hast.
Die Auseinandersetzung mit den positiven Gedanken sollte mindestens vier Wochen lang erfolgen.

Die Zweistuhl-Technik

Diese Übung ähnelt der vorherigen Übung, allerdings wird sie mündlich durchgeführt.

Du benötigst zwei Stühle, die sich mit den Sitzflächen gegenüberstehen. Setze dich auf den einen Stuhl, und stelle dir vor, auf dem anderen sitzt eine sehr vertrauenswürdige Person, der du jetzt eine deiner Befürchtungen mitteilst. Das tust du natürlich in normaler Zimmerlautstärke, nicht nur in Gedanken. Setze dich dann auf den anderen Stuhl. Du bist jetzt in der Situation des Beraters. Was würdest du einem lieben Menschen antworten, wenn er zu dir über seine Ängste spricht?

Ein Beispiel:

Deine Befürchtung, die du deiner Person auf dem leeren Stuhl mitteilst, könnte lauten: „Wenn ich in Englisch wieder eine Fünf schreibe, muss ich das Schuljahr wiederholen. Meine Eltern wären dann schrecklich enttäuscht, und es wäre für mich eine fürchterliche Blamage." Vom anderen Stuhl aus könntest du dir dann antworten: „Wenn du sitzen bleibst, bedeutet das lediglich, du hast das Klassenziel nicht erreicht. Was ist daran so schlimm? Die Entwicklung der Menschen ist nun einmal unterschiedlich, und du hattest in diesem Schuljahr vielleicht andere Probleme als Englisch und Deutsch. Wenn deine Eltern enttäuscht sind, ist das ihr Problem. Sie werden schon irgendwie damit fertig werden. Gehe morgen ganz gelassen in die Arbeit: Wenn sie gut wird, ist alles klar, wenn du nicht versetzt wirst, hast du ein ganzes Schuljahr Zeit, alles besser zu machen. Daran ist noch keiner gestorben."

Diese Übung kommt dir vermutlich etwas lächerlich vor. Allerdings ist sie sehr wirksam. Indem du dich ganz bewusst in eine andere Position begibst, übst du, dein altes eingefleischtes Denkschema bewusst zu durchbrechen und aus einer anderen Perspektive zu sehen. Du siehst dich aus der Sicht einer Person, die dich mag. Andere sehen dich viel gnädiger als du selbst. Sie haben viel mehr Nachsehen mit deinen Schwächen, denn sie wissen um ihre eigenen Schwächen.

Autosuggestion – Selbstbeeinflussung

Ob du es glaubst oder nicht, jeder Mensch beeinflusst sich selbst, und zwar ständig. Wenn du dir sagst, „Ich schaffe das nicht“ oder „Mathe ist einfach nicht mein Fach“ oder „Ich kann in der Klassenarbeit vor Nervosität keinen klaren Gedanken fassen“, dann beeinflusst du damit dein Unterbewusstsein. Und die Vernichtung deiner eigenen Persönlichkeit, deines Selbstwertgefühles machst du komplett, wenn du dir bei jedem Erfolg einredest, „Das war ein Zufallstreffer“ oder „Ein blindes Huhn findet auch einmal ein Korn“. Mit der Zeit stimmen diese Aussagen auch, du „versagst“ immer häufiger und fühlst dich bestätigt. Die Spirale der negativen Selbstbeeinflussung ist in Gang gesetzt, und du drehst dich auf ihr immer weiter nach unten in den Gefühlskeller. Diese Suggestionen nennen wir **Ideenkiller**, weil sie jeden konstruktiven Gedanken vernichten. Aber genauso, wie du dir einreden kannst, ein Versager auf der ganzen Linie zu sein, kannst du willentlich auch die Spirale der positiven Selbstbeeinflussung nach oben in Gang setzen. Und das geht so:

IDEENKILLER FORMULIEREN

Schreibe auf einen Zettel den Ideenkiller (negative Suggestion, Beeinflussung), von dem du meinst, dass er dich im Augenblick am meisten daran hindert, in Klassenarbeiten erfolgreich zu sein. Der Gedanke könnte etwa lauten:
„Ich bin bei Klassenarbeiten so nervös und aufgeregt, dass ich immer alles vergesse, was ich gelernt habe und nichts mehr weiß.“

EINE AUTOSUGGESTION FORMULIEREN

Im zweiten Schritt ersetzt du alle negativen Ausdrücke in deinem Satz durch die von dir gewünschten positiven Eigenschaften. Dabei solltest du auf folgende Aspekte achten:

- Formuliere wirklich **deine** Ziele, nicht die deiner Eltern, Mitschüler oder Lehrer. Du kannst keine Verhaltensänderung herbeiführen, die du nicht wirklich selbst wünschst.
- Formuliere deine Ziele immer **positiv**. Vermeide Ausdrücke wie „nicht“, „kein“, „Angst“ usw.
- Formuliere deine Ziele immer **in der Gegenwart**, so als ob du sie schon erreicht hättest.

Die entsprechende Autosuggestion lautet dann:
„Ich bin während der Klassenarbeit **ganz ruhig und gelassen**. Ich habe gelernt, und **mir fällt alles wieder ein**, was ich wissen muss.“

MIT DER AUTOSUGGESTION ARBEITEN

Diesen Satz liest du dir einige Male laut und zuversichtlich vor, bis du ihn auswendig kannst. Ab jetzt ist er für vier Wochen dein ständiger Begleiter. Du sagst ihn dir in Gedanken immer wieder, wenn sich Gelegenheit bietet: beim Zähneputzen, vor dem Einschlafen, im Schulbus, im Wartezimmer des Zahnarztes.

Vor allem, wenn die altbekannten Ängste wieder hochkommen, sagst du dir:
„Nein! Ich will diesen negativen Gedanken nicht denken.“ Dann wiederholst du dir deinen Merksatz.

Du musst mit dieser Methode etwas Geduld haben. Bei der nächsten Klassenarbeit fällt es dir vielleicht beim Abgeben ein, dass du eigentlich ruhig und gelassen sein wolltest. Das nächste Mal kommt dir deine Autosuggestion vielleicht während der Klassenarbeit, und das erscheint dir ein wenig zu spät. Aber es ist ein großer Erfolg. Denn bald hast du es geschafft und denkst daran, dir vor der Klassenarbeit die beruhigenden Gedanken zu sagen. Das dauert insgesamt ungefähr vier Wochen. Danach formulierst du dir eine neue Autosuggestion, die du dir ebenfalls vier Wochen einsagst. Jetzt kommt wieder der erste Text, er muss sich weiter verfestigen.

Diese zwölf Wochen kommen dir vermutlich unendlich lang vor, aber wenn sie um sind, wirst du viele Dinge ganz anders sehen. Wenn du zum ersten Mal spürst, wie die Technik der positiven Autosuggestion bei dir wirkt, wirst du großes Vertrauen in deine eigenen Fähigkeiten entwickeln und damit jede schwierige Situation meistern.

Notfallprogramm für Klassenarbeiten

Auch bei dieser Übung sollst du dich in gewisser Weise selbst beeinflussen. Während du bei den Autosuggestionen mit Hilfe positiver Gedanken auf dein Selbstwertgefühl einwirkst, sollst du mit Hilfe des Notfallprogrammes üben, ablenkende Gedanken und Ängste während der Klassenarbeiten zu verbannen und dich in einen Zustand von Konzentrations- und Arbeitsbereitschaft zu versetzen. Versuche dich zunächst gedanklich in eine Klassenarbeitssituation hineinzuversetzen. Wie ist das, wenn

- der Lehrer den Raum betritt?
- die Arbeitsblätter ausgegeben werden?
- du zu arbeiten anfängst?
- sich der Zeitpunkt der Abgabe nähert?

Vielleicht sieht deine Bestandsaufnahme so ähnlich aus:

- Wenn der Lehrer vor einer Klassenarbeit den Raum betritt, habe ich wahnsinnige Angst. Ich friere und bekomme eiskalte Hände. Mein Atem wird flach und ich zittere am ganzen Leib.
- Wenn die Arbeitsblätter und Hefte ausgeteilt werden, werden meine Hände feucht. Es rauscht in meinen Ohren, und ich fühle einen Druck auf der Stirn.
- Wenn ich anfangen möchte zu arbeiten, geht erst einmal alles durcheinander. Ich denke, ich weiß gar nichts, und die Arbeit ist viel zu schwer für mich. Ich weiß nicht, wo ich anfangen soll. Nach einer Weile geht es dann eigentlich.
- Wenn sich der Zeitpunkt der Abgabe nähert, werde ich ganz hektisch. Ich denke nur noch daran, dass ich nicht fertig werde, und kann mich nicht mehr auf die Aufgaben konzentrieren. Dann passieren mir viele „Flüchtigkeitsfehler“.

Im nächsten Schritt formulierst du dir Anweisungen, die du dir während der nächsten Klassenarbeit selbst erteilst.
Sie sollten das von dir gewünschte Verhalten zum Inhalt haben. So könnten sie aussehen:

- Wenn der Lehrer den Raum betritt: „Ich bin ganz ruhig und atme sehr tief ein und aus. Ich spüre, wie das Blut in meine Hände strömt, und die Fingerspitzen sind warm."
- Wenn die Arbeitsblätter und Hefte ausgeteilt werden: „Ich bleibe ganz ruhig. Ich atme fünf Mal tief durch. Ich denke nur an die Aufgaben, nicht an das Ergebnis."
- Wenn ich anfange zu arbeiten: „Ich lese mir zuerst in Ruhe die Aufgabenstellungen durch und verschaffe mir einen Überblick. Ich fange mit einer Aufgabe an, die ich leicht finde."
- Wenn ich Angst bekomme: „Ich lehne mich erst einmal zurück und atme tief durch."
- Wenn sich der Zeitpunkt der Abgabe nähert: „Ich arbeite in Ruhe weiter. Ich arbeite so weit, wie ich komme, oder ich lese mir alles noch einmal in Ruhe durch. Ich lehne mich zurück und atme tief durch, wenn ich merke, dass ich hektisch werde."

Schreibe deine Anweisungen auf Karteikarten und nimm sie mit in die Klassenarbeiten. Du kannst deinem Lehrer die Karten zeigen und mit ihm darüber sprechen, wenn du befürchtest, er könne sie für Spickzettel halten.
Wenn während der Klassenarbeit ein Angstsymptom auftritt, liest du dir einfach die entsprechende Anweisung durch. Aber wahrscheinlich genügt dir die Gewissheit, dein „Notfallprogramm" dabeizuhaben.

Beobachtung der Angst

Manchmal steigerst du dich vielleicht in Angstgefühle hinein, indem du dich über sie ärgerst, versuchst, sie zu verdrängen oder unruhig wirst, wenn du spürst, sie ist wieder im Anzug. Angst bezieht sich immer auf etwas, was in der Zukunft liegt, z.B. vor dem Ergebnis der Klassenarbeit, vor der Reaktion deiner Eltern, vor der vermeintlichen Blamage oder vor deinem eigenen Versagen. In der Regel verschwindet die Angst, wenn du dich mit deinen Gedanken auf die Gegenwart beziehst. Du kannst zu diesem Zweck deine Angst beobachten. Immer wenn du vor einer Klassenarbeit Angst bekommst, bemühst du dich, jedes einzelne Symptom zu registrieren, ohne es zu bewerten.

Du denkst dann vielleicht: „Aha, ich spüre einen Druck auf dem Magen und auf der Lunge. Das ist, als würde mir jemand einen Ring um meinen Brustkorb legen und ihn immer enger zusammenziehen. Mein Atem ist sehr flach. Mein Herz rast ganz schnell. Meine Hände sind eiskalt, und ich spüre, wie ich zittere..."

Gehe in Gedanken jeden einzelnen Körperteil durch und beobachte, wie er sich anfühlt, welche Veränderungen deine Angst bei ihm bewirken. Denke aber immer daran, dass deine Angst weder gut noch schlecht ist; sie ist einfach da. Mache dir ihretwegen keine Sorgen und versuche auf keinen Fall, dich gegen sie zu wehren. Wenn es an der Zeit ist, wird sie auch wieder verschwinden.

Sich über die eigene Angst lustig machen

Wenn es dir nicht gelingt, wie in der letzten Übung vorgeschlagen, deine Angstsymptome durch wohlwollendes Beobachten zu mildern oder auszuschalten, kannst du in dieser Übung noch einen Schritt weitergehen. Du sollst dir die Angstsymptome geradezu herbeiwünschen. Die Wirkung dieser Übung besteht darin, sich über die eigene Panik lustig zu machen und damit Abstand zu gewinnen.

du kannst bereits Tage zuvor damit anfangen, dir ein „Horrorszenario" deiner nächsten Klassenarbeit auszumalen, und zwar so überspitzt und unrealistisch, dass du schon wieder über dich selbst lachen musst. Eine solche Schreckensvision könnte folgendermaßen aussehen: „In der Nacht vor der Klassenarbeit mache ich kein Auge zu. Ich wälze mich die ganze Zeit im Bett hin und her, und wenn ich doch für einige Minuten eindämmern sollte, werde ich von Alpträumen geplagt. Ich wache dann sofort wieder auf, weil ich den Angstschweiß eimerweise aus dem Bett schöpfen muss. Am folgenden Tag werde ich dann totenbleich wie ein Gespenst mit schwarzen Ringen unter den Augen dasitzen. Die Bank wird wackeln wie ein Erdbeben, so sehr werde ich vor Angst schlottern. Meine Zähne werden so laut klappern, dass der Lehrer aus der Nachbarklasse an die Wand klopft und ‚Ruhe' schreit. Vor Nervosität werde ich die Fragestellung nicht verstehen können und so viele Fehler machen wie alle anderen zusammen..."

Diese Methode scheint auf den ersten Blick den Erkenntnissen zu widersprechen, die im Kapitel über die Autosuggestionen dargelegt wurden. Doch spielt hier die komische Übertreibung eine wesentliche Rolle. Wenn es dir gelingt, dich über dich selbst lustig zu machen, gewinnst du Distanz zu deiner Angst. Im günstigsten Fall wird dir schlagartig klar, dass du der Tollpatsch und Versager, für den du dich immer hältst, in Wirklichkeit gar nicht bist. Und so gehst du vor:

Überlege dir, welche Ereignisse du während der Klassenarbeit befürchtest. Versuche dir diese „Katastrophen" bewusst herbeizuwünschen und zwar so stark und überspitzt, dass du über dich selbst lachen musst.

Kapitel 5: Entspannung

Entspannungsübungen lassen sich in vielen Situationen einsetzen. Wenn du nach der Schule sehr müde bist und sich deswegen die Hausaufgaben- bzw. Übungszeit ins Unendliche dehnt, kann dir eine kurze Entspannungsübung helfen, rasch wieder fit und konzentrationsfähig zu werden. Da die Angst vor Klassenarbeiten häufig mit starker Nervosität gekoppelt ist, kann eine Entspannungsübung sehr gute Dienste bei deren Vorbereitung leisten. Nachmittage, an denen du sehr viel für die Schule üben musst, kannst du mit regelmäßigen Entspannungspausen viel besser durchstehen. Autosuggestionen und andere Übungen zur Angstbewältigung wirken im entspannten Zustand schneller und nachhaltiger, und Einschlafprobleme, auch vor Klassenarbeiten, lassen sich mit Entspannungsübungen beheben.

Was bedeutet Entspannung?

Entspannung bedeutet, dass du jede willentliche Muskelanspannung vermeidest. Weil du deine Glieder dann widerstandslos der Erdanziehungskraft aussetzt, fühlen sie sich ganz schwer an.

Außerdem weiten sich bei Entspannung die Blutgefäße. Das Blut kann besser zirkulieren, was mit einem angenehmen, strömenden Wärmegefühl einhergeht. Deine Atmung beruhigt sich in der Entspannung, und du atmest gleichmäßiger und tiefer als sonst.

Entspannung bedeutet auch, die Gedanken loszulassen. Das heißt auf keinen Fall, dass du an nichts denken sollst. Das können wir Menschen gar nicht. Die Gedanken loslassen bedeutet vielmehr, alle Gedanken kommen und gehen zu lassen, ohne sich zu verbeißen und ohne bewusst nachzugrübeln.

Wärme-, Atmungs- und Schwereformeln sowie die Aufforderung, die Gedanken „loszulassen“ oder vorüberziehen zu lassen, werden dir im Laufe der Entspannungsübungen öfter begegnen. Vielleicht machst du dir Sorgen, ob du das bewältigen kannst. Sage dir einfach, ich probiere es aus, ob ich „loslassen“ kann, es wird sich zeigen. Wenn du am Anfang noch nichts spürst, ist das ganz natürlich.

Noch ein kleiner Hinweis, bevor es losgeht:
Falls du unter extremen nervösen Beschwerden leidest, die mit Kopfschmerzen, Erbrechen, Magenbeschwerden oder ähnlichen Problemen einhergehen, solltest du einen Kurs „Autogenes Training“ unter fachmännischer Anleitung besuchen. Verschiedene Krankenkassen, kirchliche Bildungsträger und Volkshochschulen bieten solche Kurse an. Wir haben auf unseren MIND UNLIMITED-Ferienkursen erlebt, dass mit Hilfe von Entspannungsübungen solche Beschwerden völlig verschwinden können. Außerdem sind die Teilnehmer nach ersten Vorbehalten immer begeistert.

Muskelentspannung

Diese Übung eignet sich besonders, wenn du noch nie eine Entspannungsübung gemacht hast. Bei ihr werden nacheinander alle Muskeln angespannt, um sie danach bewusst zu entspannen. Dabei kannst du sehr genau den Unterschied zwischen einem angespannten und einem entspannten Zustand spüren, was am Anfang hilfreich ist.

VORBEREITUNG

Den Text auf Kassette sprechen

Sprich den Text „Muskelentspannung“ langsam und mit den markierten Pausen auf Kassette oder lerne ihn sinngemäß auswendig.

Für Ruhe sorgen

Sorge dafür, dass du etwa 30 Minuten nicht gestört wirst. Du kannst ein Schild an die Tür hängen oder mit deinen Familienmitgliedern sprechen.

Die Unterlage vorbereiten

Drehe, wenn es draußen kalt ist, die Heizung etwas stärker, und breite eine Decke auf dem Fußboden aus. Mit einer zweiten Decke kannst du die Füße zudecken.

Für den Kopf kannst du dir ein kleines Kissen bereitlegen, wenn du möchtest.

DIE DURCHFÜHRUNG

Die richtige Position

Lege dich mit dem Rücken auf die Decke und decke die Füße zu. Die Beine liegen ausgestreckt auf dem Boden. Die Arme lagern leicht angewinkelt bequem neben dem Körper. Die Augen sind geschlossen.

Sich entspannen

Stelle deinen Kassettenrekorder an, oder beginne dir die auswendig gelernten Anweisungen in Gedanken vorzusagen. Nimm dir bei der Ausführung der Übungen viel Zeit. Am Anfang wird die Übung etwas länger dauern, später musst du nur noch 15–20 Minuten einplanen.

TEXT „MUSKELENTSPANNUNG"

Balle die rechte Hand zu einer Faust und spanne die gesamte Armmuskulatur an. Halte die Spannung.
(Pause: 7 Sekunden)

Löse die Spannung. Dein Arm liegt jetzt wieder locker und schwer neben dem Körper. Beobachte, wie die Anspannung aus deinem Arm weicht.
(Pause: 7 Sekunden)

Balle die linke Hand zu einer Faust und spanne die Armmuskulatur an. Halte die Spannung.
(Pause: 7 Sekunden)

Löse die Spannung. Dein Arm liegt jetzt wieder locker und schwer neben dem Körper. Beobachte, wie die Anspannung aus deinem linken Arm herausfließt.
(Pause: 7 Sekunden)

Deine beiden Arme liegen schwer und entspannt auf dem Boden. Genieße dieses Gefühl der Entspannung.
(Pause: 7 Sekunden)

Spanne die Gesichtsmuskulatur an, indem du die Strin in Falten legst, die Nase rümpfst und die Zähne zusammenbeißt. Halte die Spannung.
(Pause: 7 Sekunden)

Löse die Spannung im Gesicht und beobachte, wie die Anspannung aus der Gesichtsmuskulatur weicht.
(Pause: 7 Sekunden)

Spanne die Nacken- und Schultermuskulatur an, indem du fest mit dem Hinterkopf gegen die Unterlage drückst und die Schulterblätter nach hinten schiebst.
Halte die Spannung.
(Pause: 7 Sekunden)

Löse die Spannung im Schulter- und Nackenbereich und beobachte, wie die Anspannung aus der Muskulatur weicht.
(Pause: 7 Sekunden)

Ziehe jetzt kräftig den Bauch ein und halte eine Weile die Luft an.
(Pause: 7 Sekunden)

Entspanne die Bauchmuskulatur und beobachte eine Weile deine Atmung. Dein Atem strömt gleichmäßig tief in den Bauch ein und wieder aus.
(Pause: 7 Sekunden)

Achte jetzt nicht mehr auf deine Atmung. Sie wird von alleine sehr gleichmäßig fließen. Genieße das angenehme Gefühl der Entspannung.
(Pause: 7 Sekunden)

Spanne die Beckenbodenmuskulatur an, indem du dir vorstellst, du musst Wasser lassen, hältst es aber an. Gleichzeitig kneifst du die Pobacken zusammen.
Halte die Spannung.
(Pause: 7 Sekunden)

Löse die Anspannung und beobachte, wie die Spannung aus Po- und Beckenmuskulatur weicht.
(Pause: 7 Sekunden)

Strecke die Zehenspitzen ganz lang nach vorne aus und spanne dabei die Beinmuskulatur kräftig an. Halte die Spannung.
(Pause: 7 Sekunden)

Löse die Spannung und beobachte, wie die Anspannung durch die Zehenspitzen aus den Beinen herausfließt.
(Pause: 7 Sekunden)

Ziehe jetzt die Zehenspitzen nach oben zu dir heran und spüre die Anspannung in der Beinmuskulatur. Halte die Spannung.
(Pause: 7 Sekunden)

Löse die Spannung und beobachte, wie sich deine Beine entspannen.
(Pause: 7 Sekunden)

Gehe im Geiste noch einmal alle Körperteile der Reihe nach durch und überprüfe, ob sie schwer und entspannt auf der Unterlage liegen.
(Pause: 1 Minute)

Genieße das Gefühl der Entspannung. Beobachte, wie sich dein Körper anfühlt. Ist er warm? Fühlt er sich sehr schwer an? Du kannst dir innerlich Entspannungsworte sagen, wie „loslassen" oder „alles fallen lassen". Oder du kannst einfach so daliegen und alle Gedanken kommen und gehen lassen.
(Pause: 2 Minuten)

Balle beide Hände zu Fäusten. Strecke und dehne den ganzen Körper. Rekle dich wie eine Katze. Vielleicht musst du gähnen. Öffne die Augen. Du fühlst dich frisch und erholt.

Fantasiereisen

Fantasiereisen kennst du bereits: Deine Tagträume, bei denen du oft in einer ganz anderen Welt bist, sind nichts anderes als Entspannungen, die sich dein Körper selbst gönnt. Immer, wenn wir uns in Situationen befinden, die uns unangenehm, langweilig oder stressig sind, neigen wir dazu, uns geistig „davonzumachen". Je nach Alter, Interessen und Geschlecht können die Themen unserer selbstgewählten Fantasiereisen oder Tagträume sehr unterschiedlich sein.

Diese Tagträume sind sehr schön und auch sehr wichtig, denn sie zeigen, dass dein Körper und auch dein Geist sich die Erholung gönnen, die sie brauchen. Oft sind sie aber auch problematisch, weil sie zu den ungünstigsten Gelegenheiten auftauchen und dich z.B. am Üben für Klassenarbeiten hindern. Du ärgerst dich dann vielleicht über deine wunderschönen Träume, die dich von der Arbeit abhalten. Oder du ärgerst dich, weil in deinen Träumen alles so schön ist und du dich in der Wirklichkeit mit Klassenarbeitsvorbereitungen und schlechten Noten auseinander setzen musst.

Du kannst aber deine Tagträume bewusst als Erholungspausen einsetzen, eine richtige kleine Urlaubsreise in die Fantasie unternehmen. Vielleicht findest du auf diesen Fantasiereisen Orte, zu denen du jederzeit zurückkehren kannst, wenn du es möchtest. Oder du lernst Freunde kennen, Menschen, Tiere oder Fabelwesen, die du immer wieder besuchen kannst. Sie wissen einen Rat, wenn du Sorgen hast, oder sie trösten dich, wenn du traurig bist. Auf jeden Fall aber kannst du während einer Fantasiereise viel Kraft und Energie tanken, um dich auf Klassenarbeiten besser vorbereiten zu können.

VORBEREITUNG ZU EINER GELENKTEN FANTASIEREISE

Den Text aufsprechen

Sprich den Text „Ein Waldspaziergang“ auf eine Kassette. Achte auf eine eintönige, ruhig fließende Stimme und vergiss nicht, die Pausen, die im Text angegeben sind, einzuhalten. Wenn du möchtest, kannst du auch deine Mutter oder deinen Vater bitten, den Text vorzulesen, während du dich entspannst.

Den Raum vorbereiten

Sorge dafür, dass du etwa 20 Minuten lang nicht gestört wirst.

Breite eine Decke auf dem Fußboden aus, oder mache dir eine bequeme Kuschelecke zurecht.

Wenn du die Augen nicht so gerne schließen möchtest, kannst du dir einen Blumenstrauß oder eine brennende Kerze so hinstellen, dass du sie während deiner Fantasiereise anschauen kannst.

DURCHFÜHRUNG DER FANTASIEREISE

Text „Ein Waldspaziergang"

Schließe die Augen, oder schaue weich auf einen Punkt im Raum. Lenke deine Aufmerksamkeit auf die Geräusche, die aus der Wohnung oder von der Straße in dein Zimmer hereindringen. Nimm sie bewusst wahr...
(Pause: 30 Sekunden)

und lasse sie dann wieder los...
Überprüfe noch einmal, ob du bequem sitzt oder liegst.
Richte deine Aufmerksamkeit jetzt auf deinen Atem. Beobachte seinen Weg durch die Nase, den Rachen und die Luftröhre bis in die Lunge und noch tiefer in den Bauch und wieder zurück.
(Pause: 30 Sekunden)

Lasse jetzt den Gedanken an deine Atmung wieder los.
Begib dich in deiner Fantasie in einen goldenen, sonnendurchfluteten Herbstwald. Du bewunderst die vielen warmen Farben der Blätter an den Bäumen. Die Sonnenstrahlen fallen durch die Zweige und lassen die Umgebung in einem milden Licht erstrahlen.
(Pause: 30 Sekunden)

Die Sonnenstrahlen wärmen auch deinen Körper. Ein sanfter Wind streicht durch die Blätter und streichelt deine Wangen. Das trockene Laub raschelt bei deinen Schritten, und du nimmst den würzigen Geruch des Herbstwaldes auf, der nach Pilzen, modrigem Laub und feuchter Erde riecht.
(Pause: 30 Sekunden)

Fasse doch einmal einen Baumstamm an, und befühle die rauhe Rinde mit den Händen.
Vielleicht findest du ein paar glatte, braune Kastanien, die du in die Hände nimmst.
(Pause: 30 Sekunden)

Das Plätschern und Quasseln eines kleinen Baches zieht jetzt deine Aufmerksamkeit auf sich. Du folgst diesem Geräusch und stößt auch bald auf das Gewässer, das über moosgrüne Steine und Kaskaden springt. Vielleicht möchtest du mit der Hand ins Wasser tauchen. Probiere doch einmal einen Schluck von dem klaren und frischen Wasser.
(Pause: 30 Sekunden)

Du kannst dich jetzt an einer schönen Stelle niederlassen und die angenehme Atmosphäre genießen.
(Pause: 30 Sekunden)

Es ist jetzt Zeit, wieder in dein Arbeitszimmer zurückzukehren. Verlasse den Wald, und verabschiede dich vom Bach, den Kastanien, den Bäumen, dem Laub und der Sonne.
Strecke dich, und spanne alle deine Muskeln an. Vielleicht musst du gähnen, das ist in Ordnung. Öffne die Augen. Du fühlst dich frisch und erholt.

FANTASIEREISEN SELBST VERFASSEN

Texte dieser Art kannst du auch selbst verfassen. Du kannst in deiner Fantasiereise eine Weltraumfahrt unternehmen und den Zustand der Schwerelosigkeit genießen. Du kannst mit einem U-Boot die Pflanzen und Tiere der Südsee bewundern oder dich faul an einen Strand legen. Alles, was dir Spaß macht, ist erlaubt. Beim Schreiben deiner Fantasiereisen solltest du aber einige Dinge beachten:

Alle Sinne ansprechen

Achte beim Schreiben deiner Fantasiereise darauf, dass all deine Sinne angesprochen werden. Überlege, was du gerne sehen möchtest, welche Geräusche und Klänge du erleben möchtest, was du schmecken, riechen oder anfassen und befühlen möchtest. Plane jeweils Pausen ein, in denen du die Sinneseindrücke wahrnimmst.

Freunde finden

Wenn du irgendwelche Sorgen oder Ängste hast, kannst du dir überlegen, ob du dich in deiner Fantasiereise mit jemandem treffen möchtest, der dir einen Rat gibt. Das kann ein Mensch oder ein Tier sein, aber auch eine Fantasiefigur. Du musst an dieser Stelle eine Pause von etwa 2–3 Minuten einplanen, in der du mit deinem „Freund" sprechen kannst.

Unangenehme Vorstellungen vermeiden

Vermeide Bilder und Vorstellungen, vor denen du dich ekelst oder die dir Angst machen. Wenn du unter Heuschnupfen leidest, ist es ungünstig, an blühende Sommerwiesen zu denken, weil das zu allergischen Reaktionen führen kann.
Wenn du unter Höhenangst leidest, vermeide es, dich in deiner Fantasie an die Brüstung eines Hochhauses zu stellen.

Abenteuer vermeiden

Vermeide aufregende Abenteuer und gefährliche Situationen. Es ist zwar prinzipiell möglich, in einer Fantasiereise Abenteuer zu bestehen. Das erfordert aber eine fachgerechte Anleitung, weil es in Fantasiereisen auch zu Angstzuständen kommen kann.

Ungelenkte Fantasiereisen

du kannst dir auch einfach ruhige Musik anstellen und ohne eine Text die Gedanken kommen und gehen lassen. Dazu eignen sich ruhige Barockmusik, Instrumentalmusik, New Age, Soft- und Kuschelrock.
Es ist dann sinnvoll, dir einen Wecker zu stellen, der dich von deiner Reise zurückholt.

Der 5-Minuten-Schlaf

Vielleicht kommt es öfter vor, dass du nach Schule und Mittagessen müde bist und nicht mehr arbeiten kannst. Das ist ganz natürlich, denn die meisten Menschen haben um die Mittagszeit ihr absolutes Leistungstief. Wenn du jetzt aber trotzdem arbeiten möchtest, weil du am späteren Nachmittag etwas vorhast, gibt es einen Trick:
Lege deinen Kopf auf die Schreibtischplatte und verschränke die Arme. In einer Hand hältst du einen Schlüsselbund, so dass er über die Schreibtischplatte hinwegragt. Jetzt überlässt du dich ganz deiner Müdigkeit, bis du einschläfst. In diesem Moment entspannen sich deine Muskeln, wobei der Schlüsselbund aus deiner Hand auf den Fußboden fällt. Von dem Lärm wachst du sofort wieder auf. Du fühlst dich jetzt ganz frisch und erholt, weil du dich einerseits völlig entspannt hast, dir aber andererseits die lähmenden Begleiterscheinungen eines längeren Mittagsschlafes erspart bleiben.

Atemmeditation

Diese Entspannung kannst du immer in Situationen einsetzen, in denen du Angst hast, z.B. während dein Lehrer die Hefte bzw. Arbeitsblätter für die Klassenarbeit austeilt.

Setze dich bequem und aufrecht auf deinen Stuhl. Beide Füße stehen auf dem Boden, und die Hände liegen nach oben geöffnet auf den Oberschenkeln. Dein Kinn fällt ganz leicht nach vorne.

Atme jetzt ganz ruhig und tief in den Bauch, so dass er sich zu einer kleinen Kugel wölbt. Dann atmest du genauso langsam und ruhig wieder aus, bis in deinem Bauch eine kleine Delle entsteht. Jeweils beim Ausatmen zählst du deine Atemzüge, bis du zwanzigmal aus- und wieder eingeatmet hast.

Kapitel 5

Zählen

Diese Entspannung hilft dir, wenn du leicht durch Gedanken oder Grübeleien abgelenkt wirst.

Sorge dafür, dass du etwa 15 Minuten nicht gestört wirst. Breite eine Wolldecke auf dem Fußboden auf, und stelle einen Wecker auf 10 Minuten. Lege dich auf die Decke, oder setze dich im Schneidersitz darauf. Schließe die Augen, und zähle langsam und gleichmäßig bis zehn. Fange wieder bei eins an, und zähle wieder bis zehn. Wenn du merkst, dass du aus Versehen weiter gezählt hast, fängst du einfach wieder bei eins an und zählst bis zehn.

Es kann sein, dass dir bei dieser Entspannung Gedanken kommen, die dich traurig oder wütend machen. Das ist kein Grund, die Übung abzubrechen oder nicht mehr zu machen. Im Gegenteil: Die traurigen Gedanken waren dann vorher schon da und haben dich vielleicht beim Arbeiten gestört, ohne dass du es wusstest. Sie waren nur durch die alltäglichen Gedanken überdeckt. Weil wir die Zahlen von eins bis zehn können, ohne nachzudenken, lässt der Gedanke an sie noch Raum für die anderen Gedanken, die in dir sind und die sich jetzt zu Wort melden. Höre ihnen ruhig zu, und wiederhole die Übung öfter. Vielleicht erfährst du etwas, was ganz wichtig und neu für dich ist.

Es kann auch sein, dass dir bei dieser Übung gar keine Gedanken kommen. Das ist auch in Ordnung, dann entspannst du einfach nur.

Kapitel 6: Konzentration

Was bedeutet Konzentration? „Gruppierung um einen Mittelpunkt...geistige Sammlung..." steht dazu im Duden. D.h., wenn du konzentriert bist, sammelst du all deine Kräfte in deinem Mittelpunkt und bist dadurch sehr leistungsfähig. Umgekehrt kann es vorkommen, dass dein Kopf sich gleichzeitig mit verschiedenen Dingen beschäftigt. Beim Üben für die Klassenarbeit oder in der Klassenarbeit selbst machst du dann sehr viele Fehler oder bekommst gar nichts zu Papier: Du bist unkonzentriert.
Jeder gesunde Mensch hat die Fähigkeit, sich zu konzentrieren, vorausgesetzt er hat einen Grund dafür oder ein „Motiv". Es müssen schon gravierende organische Schäden vorliegen, wenn sich ein Schüler nicht konzentrieren kann. Ich nehme an, du bist gesund und mit ein paar Tricks in der Lage, dich konzentriert auf deine Klassenarbeiten vorzubereiten?

Störfaktoren

Es gibt allerdings Umstände, die dich an deiner Konzentration hindern:

ÄUSSERE FAKTOREN

Möglicherweise fühlst du dich durch das Geschrei deiner Geschwister oder durch eine Großbaustelle vor dem Haus genervt. Oder du musst in der Küche üben, wo deine Mutter noch die Spülmaschine einräumt und dein großer Bruder beim Mittagessen sitzt.

Äußere Störfaktoren sind also Umstände, unter denen Ablenkungen **von außen** an dich herangetragen werden und die du durch einige organisatorische Tricks leicht verändern kannst.

MOTIVATIONSSTÖRUNGEN

Es ist auch möglich, dass du momentan keinen Spaß am Lernstoff hast, den Unterricht langweilig findest. Oder es sind im Moment andere Dinge für dich wichtig, dein Pferd oder dein neuer PC. Kein Mensch arbeitet konzentriert, wenn er keine Lust dazu hat und eigentlich viel lieber etwas Spannenderes täte.

VORÜBERGEHENDE BELASTUNGEN

Vielleicht hast du im Moment viel Ärger, Streit mit den Eltern, Probleme mit einem Lehrer, Konflikte mit deinen Freunden. Oder dein Lieblingspferd ist krank, und du bist traurig. In solchen Belastungssituationen ist es logisch, dass du dich nicht konzentrieren kannst.

ANGST UND UNSICHERHEIT

Es kann auch sein, dass du dich aus Angst nicht konzentrieren kannst:

Angst vor schlechten Noten, Angst davor zu versagen oder Angst, den Stoff nicht bewältigen zu können. Oder du hast eine verunsicherte Persönlichkeit und traust dir prinzipiell nicht zu, die erforderlichen Leistungen zu erbringen.

Stufenprogramm zur Konzentration

ERSTE STUFE: ÄUSSERE STÖRFAKTOREN AUSSCHALTEN

Wenn du kein eigenes Zimmer und keinen festen Arbeitsplatz hast, solltest du mit deiner Familie besprechen, wo du täglich ungestört deine Hausaufgaben und Klassenarbeitsvorbereitungen erledigen kannst. Der Raum sollte von dir geschlossen werden können und in der Zeit, in der du arbeitest, nur für dich zugänglich sein.

Mit jüngeren Geschwistern muss unter Beistand deiner Eltern ein Abkommen geschlossen werden, dass sie während deiner Arbeitszeit leise sind und dich nicht stören. Manchmal hilft auch eine leise, melodische Instrumentalmusik im Hintergrund, deinen Arbeitsplatz in eine Insel zu verwandeln, auf der du dich ungestört fühlst.

Am besten schreibst du alle Faktoren auf, die von außen kommen und deine Konzentration stören. Dann kannst du zusammen mit deinen Eltern nach Lösungswegen suchen.

ZWEITE STUFE: SICH KÖRPERLICH WOHL FÜHLEN

Klar, wenn dein Bauch vor Hunger knurrt und rumpelt, du vor Müdigkeit fast einschläfst oder dringend zur Toilette musst, kannst du dich nicht auf die Klassenarbeitsvorbereitung konzentrieren. Sorge dafür, dass folgende Punkte erfüllt sind, wenn du arbeitest:

- Du bist satt, aber nicht voll gestopft.
- Du achtest auf eine gesunde, vollwertige Ernährung.
- Du hast genügend getrunken.
- Du bist ausgeschlafen.
- Du fühlst dich körperlich fit.
- Du sorgst für den nötigen Ausgleich durch Bewegung und frische Luft.
- Du trägst bequeme Kleidung.

DRITTE STUFE: AUFWÄRMÜBUNGEN

Beginne deine Übungszeit immer mit einer leichten Übung zum Aufwärmen. Du kannst z.B. 5–7 Vokabeln lernen oder dir deinen Lernnachmittag planen. Du hast dann die erste Hürde geschafft und etwas Sinnvolles getan. Das motiviert dich, gleich weiterzuarbeiten.

VIERTE STUFE: KLEINE LERNHÄPPCHEN

Wenn du dazu neigst, während der Arbeitszeit schnell aufzugeben und vom Schreibtisch wegzulaufen, erlaube dir, dich alle 5 Minuten zurückzulehnen und kurz auszuspannen. Gerade beim Lernen benötigen wir enorme Energien, ohne es zu merken. Kurze Pausen im 5-Minuten-Rhythmus fördern das Durchhaltevermögen, verbessern die Behaltensquote und schränken die Fehlerzahl ein.

FÜNFTE STUFE: KREUZBEWEGUNGEN

Wenn es dir nach diesen Tipps immer noch schwer fällt, in die Arbeit hineinzufinden, kannst du es mit Überkreuzübungen versuchen. Das sind alle Tätigkeiten, bei denen du gleichzeitig die linke und rechte Körperhälfte aktivierst. Eine einfache Übung geht so:

Stelle dich neben den Schreibtisch und marschiere auf der Stelle, wobei du immer gleichzeitig den rechten Arm und das linke Bein und danach den linken Arm und das rechte Bein anhebst. Es kann sein, dass es dir leichter fällt, wenn du beim Marschieren mit der rechten Hand das linke Knie berührst und umgekehrt.

SECHSTE STUFE: GEDANKENMÜLL BESEITIGEN

Ich nehme an, während des Lernprozesses gehen dir ablenkende Gedanken durch den Kopf, die für die Klassenarbeit völlig unwichtig sind, dich aber trotzdem beschäftigen. Um diese Gedanken loszuwerden, musst du das Gefühl bekommen, dass du sie jederzeit wieder zur Verfügung haben kannst, wenn du das möchtest. Das kannst du so machen:

Stelle dir einen Pappkarton, einen „Gedankenmülleimer“, auf oder neben den Schreibtisch. Wenn dir ein ablenkender Gedanke durch den Kopf geht, schreibst du ihn auf einen Notizzettel und legst diesen in den Karton. Dein Gehirn hat jetzt das Gefühl, in der Angelegenheit, die dir wichtig ist, etwas getan zu haben. Andererseits kannst du sicher sein, nichts zu vergessen. Denn nach dem Üben kannst du die Zettel noch einmal durchsehen und überlegen, ob sie jetzt noch eine Bedeutung haben.

SIEBENTE STUFE: ÜBER PROBLEME REDEN

Wenn du einen Streit hattest, dich ungerecht behandelt fühlst oder ein schlechtes Gewissen hast, weil du jemanden verletzt zu haben glaubst, solltest du sofort das Gespräch suchen. Wenn ein persönliches Gespräch nicht möglich ist, greife zum Telefon. Das entlastet, du kannst dich danach wieder auf das Üben konzentrieren.

Manchmal ist es nicht möglich, mit anderen über Probleme zu sprechen. Vielleicht sind sie nicht zu erreichen, oder du kannst aus irgendwelchen Gründen nicht ausdrücken, worum es geht. Dann hilft es, alles aufzuschreiben, z.B. in Form eines Briefes an andere oder auch an dich selbst. Du musst diesen Brief nicht abschicken, wenn du nicht willst, dass der andere erfährt, was du denkst. Meist relativiert sich der Ärger, während du ihn zu Papier bringst. Außerdem geht dir nichts verloren, du kannst nach dem Üben über dein Problem noch einmal nachdenken.

ACHTE STUFE: SICH SELBST MOTIVIEREN

Sicher kennst du die Situation: Du hast gar keine Lust, für die Klassenarbeit zu üben, fühlst dich völlig ausgepowert, und anstatt die Übungszeit sinnvoll zu nutzen, quälst du dich nur über deinen Büchern. Überprüfe in diesem Fall zunächst einmal, ob du durch sinnvolle Zeitplanung und Nutzung von Unterricht und Hausaufgaben die Vorbereitung der Klassenarbeit effektiveren kannst. Es gibt aber auch Techniken, mit denen man sich selbst motivieren kann, indem man die eigene Stimmung beeinflusst. Du kannst dich z.B. vor den Spiegel stellen und mit gespielter Fröhlichkeit laut sagen: „Oh, ich darf heute noch Mathe üben. Wie klasse! Es gibt nichts, was ich mir sehnlicher wünsche, als Gleichungen mit zwei Unbekannten zu lösen. Ich könnte den ganzen Tag damit zubringen."

Bei dieser Übung gilt: Je alberner, desto besser.

NEUNTE STUFE: DEN ERFOLG VORWEGNEHMEN

Kann sein, du bist nicht albern und möchtest es auch nicht sein. Trotzdem wärst du gerne motiviert. Auch für dich gibt es einen Trick:

Setze dich an den Schreibtisch und schließe die Augen. Stelle dir ganz genau vor, wie das ist, wenn du mit dem Üben fertig bist. Wie du stolz die Bücher zuklappst und dir zur Belohnung fünf Mars genehmigst, zum Telefon greifst und dich mit gutem Gewissen zum Baden verabredest. Versuche dir alles so genau wie möglich auszumalen, vor allem deine Gefühle. Du veränderst mit dieser Übung deine Einstellung zum Lernen, und das Üben wird dir leichter von der Hand gehen.

ZEHNTE STUFE: LERNGRUPPEN BILDEN

Lernen mit Freundinnen und Freunden erscheint vielen nicht geheuer. „Was ist, wenn die anderen entdecken, was für eine Null ich bin." „Und wenn die über mich lachen, da darf ich keinen Fehler machen." „Da komme ich sowieso nicht zum Zuge." „Da albern wir doch nur rum und arbeiten nichts."

Solche und andere Vorbehalte gehen dir vielleicht durch den Kopf. Ich selbst arbeite am liebsten mit anderen,

- weil man nicht nur arbeitet, sondern auch Spaß hat;
- weil man sich gegenseitig helfen kann, wenn man nicht weiter weiß;
- weil man durch die Ideen der anderen selbst wieder neue Ideen bekommt;
- weil man sieht, dass bei den anderen auch nur „mit Wasser gekocht" wird;

- weil man sofort Rückmeldung bekommt, ob eine Aufgabe falsch oder richtig ist;
- weil man besser merkt, wo es noch hängt;
- weil man sich gegenseitig loben kann, wenn etwas gut ist.

Zwei Regeln solltet ihr aber in der Gruppe beachten:

Den anderen zuhören

Jeder löst zunächst eine Übungsaufgabe für sich selbst. Im Anschluss werden die Lösungen der Gruppe vorgestellt. Dabei darf jeder seine Übung von Anfang bis Ende erklären, die anderen lassen ihn ausreden.
Falls während dieser Erläuterungen ein Fehler entdeckt wird, notieren ihn die Zuhörer und sprechen ihn erst an, wenn der Vortrag fertig ist.

Fehler machen ist erlaubt

Aus den Fehlern Einzelner lernen alle in der Gruppe, weil sie auf Probleme aufmerksam werden.
Diskussionen über Fehler sind keine Kritik an der Person, die den Fehler gemacht hat. Höre dir dann die Argumente der anderen genau an, sei nicht beleidigt, oder fühle dich nicht persönlich angegriffen. Aber auch deine Gegenargumente müssen sachlich sein und dürfen keine Beleidigungen enthalten.

WENN GAR NICHTS MEHR GEHT

Es gibt solche Tage: Du bist müde und ausgelaugt, oder eine Sache beschäftigt dich so sehr, dass du beim Üben kein Bein auf den Boden bekommst. Manchmal musst du auch das akzeptieren. Nimm dir einen Tag frei, unternimm etwas Schönes, und genieße den Tag ohne schlechtes Gewissen. So tankst du Kräfte, um am nächsten Tag mit neuer Energie an die Arbeit zu gehen.

Kapitel 7: Tipps zum Verhalten vor, während und nach der Klassenarbeit

Vor und während der Klassenarbeit solltest du alles vermeiden, was bei dir Stress verursacht. Denn ein großer Teil der Versagensängste wird von ängstlichen Schülern selbst erzeugt, indem sie sich selbst verunsichern bzw. „verrückt machen".

So könnte der Tag vor der Klassenarbeit aussehen

Am Tag vor der Klassenarbeit machst du nach dem Mittagessen erst einmal Hausaufgaben. Dann hörst du eine schöne CD und rufst vielleicht einen Freund oder eine Freundin an, um dich zu verabreden. Ihr könntet z.B. ins Kino gehen. Danach gehst du noch ein Eis essen. Nach einem leichten Abendessen überprüfst du, ob du alles eingepackt hast, was du für die Arbeit brauchst, und ob deine Materialien in Ordnung sind.

- Füller (mit voller Patrone)
- Ersatzpatrone
- Bleistift (gespitzt)
- Anspitzer
- Radiergummi
- Buntstifte (gespitzt)
- Textmarker
- Lineal
- Konzeptpapier
- Maskottchen

zur Mathematikarbeit zusätzlich:

- Geodreieck
- Zirkel
- Taschenrechner (wenn erlaubt)

Sieh noch einmal in deinem Heft nach, ob der Lehrer auf etwas Besonderes hingewiesen hat, was du nicht vergessen darfst.
Lege dir auch schon dein Outfit für den nächsten Tag zurecht, dann siehst du gleich, ob du noch ein Sweatshirt bügeln oder eine Jeans „knitterig" machen musst.
Lies ein schönes Buch, höre eine ruhige CD, setze dich vor die Glotze, oder spiele mit deiner Schwester „Halma". Sehr entspannend ist auch ein warmes Vollbad. Gehe rechtzeitig ins Bett, und mache noch eine Entspannungsübung vor dem Einschlafen.
Direkt am Tag vor der Arbeit lernen, macht in aller Regel nur nervös. Wenn du es dir durch geschickte Zeitplanung einrichten kannst, diesen Tag wie hier beschrieben zu verbringen, schonst du deine Nerven, und das Gelernte kann sich setzen. Denn das menschliche Gehirn ist in der Lage, sich unbewusst mit dem Lernstoff auseinander zu setzen, während du dich bewusst mit anderen Dingen beschäftigst.

Der Morgen vor der Klassenarbeit

An diesem Morgen sollte der Wecker rechtzeitig klingeln. Vermeide jede Hektik, und nimm dir für alles, was du tust, die nötige Zeit. Du solltest auf jeden Fall frühstücken. Am besten mit Vollkornbrot, Obst, Milch und Saft. Denke auch daran, dir ein Pausenbrot für die Klassenarbeit mitzunehmen. Ein Apfel ist immer gut, denn er enthält viele Mineralien, die während der Klassenarbeit Energie spenden.

Gehe rechtzeitig zum Bus, und vermeide Gespräche mit Klassenkameraden, die dich ängstlich oder unsicher machen. Auf Gespräche wie: „Das mit dem Simple past habe ich überhaupt nicht kapiert. Da schreibe ich garantiert eine Fünf!" solltest du dich ebensowenig einlassen wie auf die Bitte, noch einmal alles zu erklären.

In der Klassenarbeit

ATEMMEDITATION

Während dein Lehrer die Arbeitsblätter austeilt, beruhigst du dich mit einer Atemmeditation (Seite 83). Indem du dich auf deine Atmung konzentrierst, bist du mit deinen Gedanken ganz bei dir und hast keine Zeit, dir unnötig Panik zu machen. Im Gegenteil: Du wirst während des Zählens ganz ruhig und ausgeglichen.

DEN AUFGABENZETTEL DURCHLESEN

Lies deinen Aufgabenzettel vollständig und in Ruhe durch, bevor du anfängst. Überlege, welche Aufgaben schneller gehen und für welche du mehr Zeit brauchst. Denke auch darüber nach, was dir leicht fällt und an welcher Stelle du vielleicht länger nachdenken musst.

MIT EINER LEICHTEN AUFGABE BEGINNEN

Beginne deine Klassenarbeiten mit Aufgaben, die dir leicht fallen und von denen du meinst, dass sie dir schnell von der Hand gehen. Du hast dann schnell Erfolgserlebnisse, das motiviert und spornt an. Außerdem kann dir die Punkte keiner mehr nehmen, die hast du in der Tasche.
Häufig ist eine Klassenarbeit auch so konzipiert, dass die Aufgaben, die leichter und schneller gehen, Teile der langen und schwierigen Aufgaben vorwegnehmen. Dann hast du die Möglichkeit, die einzelnen Teile noch einmal zu trainieren, bevor du dich an die wirklich schwierigen Aufgaben machst.

MINI-PAUSEN EINLEGEN

Denke an die 1-Minuten-Mini-Pausen, die du jeweils nach 5–7 Minuten konzentrierter Arbeit einlegst: Zurücklehnen – durchatmen weiter geht's. So bewahrst du dir deine Konzentrations- und Leistungsfähigkeit bis zum Ende der Stunde.

WENN DU STECKEN BLEIBST

Wenn du bei einer Aufgabe nicht mehr weiterkommst, bleibe ganz ruhig und vermeide es, dich in dieser Aufgabe zu verrennen. Wende dich erst einmal einer anderen Aufgabe zu, du kannst es dann später noch einmal probieren.
Wenn dir diese Situation Angst macht und du nervös wirst, lege erst einmal eine Atemmeditation ein, um wieder zur Ruhe zu kommen.

DIE ZEIT VOLL AUSNUTZEN

Nutze die Zeit, die dir für die Klassenarbeit gegeben ist. Wenn du vor dem Abgabetermin fertig wirst, kannst du sie dir unter verschiedenen Gesichtspunkten noch mehrmals durchlesen. Einen Aufsatz solltest du z.B. im ersten Durchgang auf Rechtschreibfehler kontrollieren und in einem zweiten Durchgang auf inhaltliche Aspekte. Wenn dir dann noch Zeit bleibt, besteht die Möglichkeit, die Zeichensetzung zu kontrollieren. Korrigiere nur Fehler, die du eindeutig als Fehler erkennst.
Wenn du im Zweifel bist und unsicher wirst, verändere nichts.

WENN SICH DIE ZEIT DER ABGABE NÄHERT

Der berühmte Satz des Lehrers: „Noch zehn Minuten!" sollte dich nicht aus der Ruhe bringen. Atme einmal tief durch, und denke kurz darüber nach, was du mit der verbleibenden Zeit am sinnvollsten anfangen kannst: Noch einmal in Ruhe alles durchsehen oder lieber weiterschreiben? Entscheide dich für eine Möglichkeit und bleibe dabei.

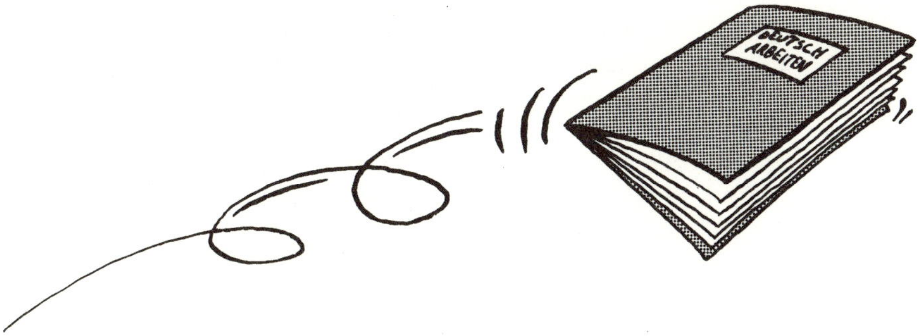

Kapitel 7

Wenn eine Arbeit danebengeht

Wenn du eine schlechte Arbeit zurückbekommst, ist das natürlich ärgerlich, keine Frage. Aber es ist auch kein Grund, dich gleich wieder in einen Teufelskreis von Versagensängsten zu begeben. Selbstzweifel und Selbstvorwürfe helfen dir jetzt nicht weiter. Analysiere lieber in Ruhe, woran es gelegen hat, um so schnell wie möglich Maßnahmen in die Wege zu leiten, damit es beim nächsten Mal besser klappt.

Bevor du deine Note analysierst, musst du erst einmal einen klaren Kopf bekommen. Lenke dich ab, indem du mit Freunden ein Eis essen gehst oder eine Runde Fußball spielst, oder mache zu Hause eine Entspannungsübung.

Wenn du schon während des Unterrichts das Gefühl hast, dich wegen der schlechten Note nicht mehr konzentrieren zu können, versuche es mit einer Atemmeditation.

Wenn du zu Hause bist, sieh dir deine Klassenarbeit genau durch. Welche Art von Fehlern hast du gemacht? Hast du die Fragestellung falsch verstanden, oder waren die Aufgaben zu schwer für dich? Oder waren die Aufgaben ganz einfach, und du hast dich aus Nervosität vertan?

Versuche auch herauszufinden, wie deine Situation während der Klassenarbeit allgemein war. Hast du in einem oder mehreren Fächern große Lücken, die du aufarbeiten musst, oder hattest du Ärger mit deinen Eltern, deinem Lehrer oder einem Freund/einer Freundin? Bist du immer während der Klassenarbeit aufgeregt, oder war es eine Ausnahme?

Je nachdem, zu welchem Ergebnis du bei deiner Analyse gekommen bist, musst du entsprechende Maßnahmen ergreifen. D.h., wenn du zu dem Ergebnis gekommen bist, du hast dich am Tag der Klassenarbeit krank gefühlt und warst deswegen unkonzentriert, hat sich das Thema natürlich erledigt.

Wenn du ständig unter Angst vor oder während der Klassenarbeit leidest, stelle dir ein Programm zur Stressbewältigung zusammen. Wenn es an fachlichen Lücken hängt, musst du darüber nachdenken, ob du diese alleine, mit Freunden oder mit Hilfe eines Nachhilfelehrers schließen kannst.

Vor allem solltest du dir immer wieder klarmachen, dass ein Note nichts mit dir und deiner Person zu tun hat. Sie bewertet lediglich eine Leistung in einer einzigen Situation im Vergleich mit deinen Mitschülern.
Sie hängt auch immer vom persönlicher Ermessen deines Lehrers ab und sagt nichts über deinen Wert als Mensch aus. Es kann sein, dass deine persönlichen Stärken in einem Bereich liegen, der mit Schule nichts zu tun hat. Die Note sagt auch nichts über deine Intelligenz aus, es ist unsinnig, sich ihretwegen das Leben vermiesen zu lassen.

DIE AUTORIN

Katharina Denig-Helms, Jahrgang 1961, war Gymnasiallehrerin und arbeitet seit 1992 im MIND UNLIMITED-Team. Sie hat eine Zusatzausbildung als Suggestopädin und leitet Ferien- und Tageskurse „Das Lernen lernen“. Außerdem führt sie regelmäßig Coachings für Lehrer sowie Lehrerfortbildungen durch.

DURCHSTARTEN

Deutsch
für die 5. Schulstufe/neue Rechtschreibung
ISBN 3-7058-5158-6

für die 6. Schulstufe/neue Rechtschreibung
ISBN 3-7058-5150-0

für die 7. Schulstufe/neue Rechtschreibung
ISBN 3-7058-5159-4

für die 8. Schulstufe/neue Rechtschreibung
ISBN 3-7058-5160-8

mit der neuen Rechtschreibung
ISBN 3-7058-5057-1

Mathematik
für die 5. Schulstufe
ISBN 3-7058-5163-2 (A)
ISBN 3-7058-5164-0 (D + CH)

für die 6. Schulstufe
ISBN 3-7058-5165-9 (A)
ISBN 3-7058-5154-3 (D + CH)

für die 7. Schulstufe
ISBN 3-7058-5166-7 (A)
ISBN 3-7058-5029-6 (D + CH)

für die 8. Schulstufe
ISBN 3-7058-5149-7 (A)
ISBN 3-7058-5295-7 (D + CH)

Englisch
für die 5. Schulstufe
ISBN 3-7058-5151-9

für die 6. Schulstufe
ISBN 3-7058-5152-7

für die 7. Schulstufe
ISBN 3-7058-5153-5

für die 8. Schulstufe
ISBN 3-7058-5162-4

Hörverständnis + Grammatik-Training
für die 5. Schulstufe mit CD
ISBN 3-7058-5332-5

English Grammar
ISBN 3-7058-5308-2

Französisch
für das 1. Lernjahr
ISBN 3-7058-5167-5

für das 2. Lernjahr
Teil A: Adjektiv, Adverb
und Hervorhebung von Satzteilen
ISBN 3-7058-5168-3

Teil B: Verb, Bindungsgefüge
und indirekte Rede
ISBN 3-7058-5169-1

für das 3. Lernjahr
ISBN 3-7058-5148-9

für das 4. Lernjahr
ISBN 3-7058-5296-5

Latein
für das 1. Lernjahr
ISBN 3-7058-5155-1

Buch mit 3,5"-Diskette
ISBN 3-7058-5170-5

für das 2. Lernjahr
ISBN 3-7058-5297-3

mit Nuntii Latini
ISBN 3-7058-5059-8

je ca. 160 Seiten mit Lösungsheft durchgehend witzig und farbig illustriert, Paperback

VERITAS

Ferienkurse für Schüler „Das Lernen lernen"

Spaß in den Ferien – Mehr Erfolg in der Schule

DIE NEUE FERIENIDEE

Erholsame und spannende Ferien mit Gleichaltrigen verbringen – und gleichzeitig die schulische Erfolgsspirale auslösen.

MIND UNLIMITED – FERIENKURSE

Schule soll wieder Spaß machen.

- Training Lernmethodik
  Konzentration
  Motivation
  Mehr melden
  Lerntechniken
- Training Rhetorik
- Rechtschreibtraining
- Training in den Hauptfächern

- und:
  Reiten; Surfen
  Rudern; Bogenschießen
  Tennis; Ski fahren
  ...und vieles mehr

Ferienkurse für Schüler „Das Lernen lernen"

Spaß in den Ferien – Mehr Erfolg in der Schule

DIE NEUE FERIENIDEE

Erholsame und spannende Ferien mit Gleichaltrigen verbringen – und gleichzeitig die schulische Erfolgsspirale auslösen.

MIND UNLIMITED – FERIENKURSE

Schule soll wieder Spaß machen.

- Training Lernmethodik
  Konzentration
  Motivation
  Mehr melden
  Lerntechniken
- Training Rhetorik
- Rechtschreibtraining
- Training in den Hauptfächern

- und:
  Reiten; Surfen
  Rudern; Bogenschießen
  Tennis; Ski fahren
  ...und vieles mehr

Karten entlang der Linien ausschneiden, Absender bitte eintragen und Karte unfrankiert in den nächsten Briefkasten werfen.

Mein Absender:

____

____

____

Tel.: ___________________________

bitte ankreuzen

Ja, ich interessiere mich für Ihr Programm.
Schicken Sie mir bitte kostenlos und unverbindlich

❍ Ihren Prospekt „Ferienkurse Das Lernen lernen“

❍ Informationen über Wochenendkurse für Schüler/Eltern/Lehrer

Gebühr zahlt Empfänger

Rückantwort

MIND UNLIMITED

Forsthausstraße 56
D-35043 Marburg

Mein Absender:

____

____

____

Tel.: ___________________________

bitte ankreuzen

Ja, ich interessiere mich für Ihr Programm.
Schicken Sie mir bitte kostenlos und unverbindlich

❍ Ihren Prospekt „Ferienkurse Das Lernen lernen“

❍ Informationen über Wochenendkurse für Schüler/Eltern/Lehrer

Gebühr zahlt Empfänger

Rückantwort

MIND UNLIMITED

Forsthausstraße 56
D-35043 Marburg

MIND UNLIMITED: Tel. 06421/94848–0